ALLAH EST GRAND,
LA RÉPUBLIQUE AUSSI

www.editions-jclattes.fr

Lydia Guirous

ALLAH EST GRAND,
LA RÉPUBLIQUE AUSSI

JC Lattès

Ouvrage publié
sous la direction de Muriel Hees

Maquette de couverture : atelier Didier Thimonier

ISBN : 978-2-7096-4670-3

Première édition novembre 2014.

À Jacques

« Ne composez jamais avec l'extrémisme,
le racisme, l'antisémitisme ou le rejet de l'autre.
Dans notre histoire, l'extrémisme
a déjà failli nous conduire à l'abîme.
C'est un poison. Il divise. Il pervertit, il détruit.
Tout dans l'âme de la France dit non
à l'extrémisme. »

Discours de Jacques Chirac, 11 mars 2007.

Prologue

J'aime la chorba et la tête de veau, le bœuf bourguignon et le couscous, Matoub Lounès et Renaud. Ce livre est mon histoire, celui d'une jeune femme née en Kabylie, arrivée à Roubaix dans le nord de la France à l'âge de six ans pour fuir le terrorisme de la décennie noire en Algérie. Nous avions décidé de mener notre vie en France et de faire de la France notre pays. S'intégrer ? La question ne se posait pas. C'était une évidence, une volonté, un impératif. La France nous a accueillis à bras ouverts et aujourd'hui je doute que beaucoup d'autres pays le fassent avec autant de générosité. Du racisme, de la discrimination ? Oui il y en a eu, mais on m'a appris à l'ignorer pour avancer.

C'était en novembre 1989, nous arrivions en France, le mur de Berlin s'effondrait vingt-quatre heures après que nous avons posé nos valises... Le bicentenaire de la Révolution française était célébré et l'affaire du voile islamique de Creil faisait l'actualité... Vingt ans plus tard, c'est la burqa et le djihad qui occupent les esprits. Du voile à la burqa, cela sonne comme une défaite de la République face aux communautarismes. Nous avons perdu une bataille, oublié de descendre à la station République... Et les droits des femmes musulmanes et leur émancipation n'avancent pas.

Aujourd'hui, j'ai vingt-neuf ans et l'air me semble irrespirable. Ma France paraît être tombée dans un long coma. Attaquée, insultée, elle prend les coups sans réagir. Fini la générosité, la tolérance, la fraternité... Pire, la France serait raciste, discriminante, non méritocratique, et la laïcité serait de l'islamophobie... Car, aujourd'hui, on ne parle plus de racisme mais d'« islamophobie ». De Roubaix, ville devenue la référence du communautarisme et du halal, j'ai vu ma France vaciller, s'oublier et abdiquer. La « communauté » maghrébine est manipulée et s'enlise dans le piège du repli identitaire. Ceux qui ont choisi la République sont violemment rejetés et insultés. Ils sont des « infidèles », des « traîtres », des « colla-beurs ».

Dans le petit monde merveilleux des intégristes musulmans, être « colla-beur », surtout lorsqu'il s'agit d'une femme, est la pire des insultes. C'est bien pire que d'être une pute… C'est être une traîtresse qu'il faut punir et humilier en place publique comme cela a été tristement le cas à la fin de la Seconde Guerre mondiale. Pour ces gens, toute personne d'origine maghrébine qui refuse le communautarisme et qui évolue avec un mode de vie français est un « collaborateur ».

Aimer la France et la République est ainsi devenu dangereux dans certains quartiers. Une partie des enfants des quartiers difficiles est embrigadée dans l'obscurantisme et emprunte les chemins de l'islamisme radical, du djihad… et du rejet de la France. Ils ne se considèrent plus comme Français mais comme appartenant à la patrie des « Muslims », et au nom de l'amour de cette patrie virtuelle, ils sont prêts à partir au combat.

Pourtant, après la décolonisation, et même si de nombreuses plaies restaient ouvertes, les primo-arrivants éprouvaient tous une grande fierté à rejoindre ce pays de liberté et d'égalité. Pour nous tous, la France était une chance. Mais, pour une minorité, hélas trop visible, la France est devenue un ennemi à abattre... Prière après prière, ces enfants nés en France entament une évolution terrifiante pour notre pays et pour les musulmans de France.

Parfums de Kabylie

Là-haut, tout là-haut, il y avait une montagne noire. Je la regardais des heures, assise par terre sous un olivier. J'imaginais derrière elle Paris, Versailles, la France... Ce jour-là, la montagne s'était parfumée de douces essences sucrées, mélange de cumin et d'eau de fleur d'oranger. Je me dirigeais vers la maison pour m'adonner à mon activité préférée : manger les fruits du jardin de ma grand-mère... Des figues, des oranges, des grenades, du raisin... Je croisais Rachid l'épicier qui portait toujours son pantalon trop bas, mon oncle Ali et son grand sourire bienveillant, et surtout le groupe de Mokrane, Idir et Aghiles qui ne manquaient jamais une occasion de me montrer les perdrix qu'ils avaient capturées dans les collines.

Une enfance kabyle, comment pourrais-je vous décrire une enfance kabyle ? La Kabylie ne se raconte pas, on la vit, on la sent, on la touche, on la frôle, on la désire. Elle est un mélange de rêves et d'illusions.

C'est d'abord cette phrase qui berce mon enfance, celle qui débute les contes et les belles histoires qui se racontent depuis des siècles dans les villages berbères de Kabylie : « Que mon conte soit beau et se déroule comme un fil. » C'est un parfum qui vous prend au plus profond de votre âme et ne vous quitte plus. Bien sûr, il y a le musc, les épices, l'huile d'olive. Mais il y a beaucoup plus que cela… l'odeur du soleil, de la montagne, du vent dans les eucalyptus. Il y a le parfum de la pierre chaude, du marché, des dames du village. Il y a l'odeur de l'eau des rivières, l'odeur de l'ail, l'odeur des ânes, du couscous et le parfum des beignets le matin.

Quand je ferme les yeux, chacune de ces senteurs me replonge dans mon enfance… Les mains de ma mère parfumées à l'eau de fleur d'oranger se posant le soir sur mon front pour me bercer, les mains au cumin et à l'huile d'olive les jours de fête, les mains pleines de pâte et de farine après le pain, les mains à la glace italienne vanille/fraise sur la place du village, le soir. Le parfum de la Kabylie est comme le parfum de votre mère, vous ne pouvez pas vraiment le décrire, mais, où que vous soyez, quel que soit votre âge, vous le reconnaîtrez parmi des milliers d'autres parfums. Il est la terre, le soleil et le vent. Il est la force des hommes qui cassent la pierre et la légèreté d'une robe de soie. Il est la nostalgie et l'envie de vivre.

La Kabylie, c'est aussi un rythme, un bruit, un murmure. C'est le rythme du tambour, les jours de fête sous l'olivier, les éclats de voix des hommes, leurs rires, leurs querelles enfantines, leurs histoires de chasse… Je ferme les yeux et j'entends les longues palabres des dames sur le marché, les histoires interminables et imagées des anciens, les longues journées à l'ombre d'un olivier.

Je repense souvent au bruit des hommes dans les collines, au bruit des chasseurs qui rentraient de la montagne dans un vacarme assourdissant. Je l'imagine encore, la nuit à Paris, ma brise du soir qui me susurrait à l'oreille combien il était bon de vivre. Le chant des figuiers le long de la maison, le bruit des femmes qui préparent le repas, le silence et la force de la montagne l'hiver… J'entends encore le long murmure de la nuit, lorsque je me cachais sous les draps au moindre bruit d'animal, au moindre souffle de vent dans les roseaux. J'entends encore la douce voix de ma sœur Nadia qui chantait l'après-midi pour nous aider à faire la sieste. La Kabylie, c'est un peu tout ça, la force d'un rythme et la fragilité du vent dans les arbres, les chants des femmes et le rire des hommes.

Mais ma Kabylie c'est aussi une caresse, un toucher, une main qui glisse lentement sur tout votre corps. Mon village est comme la poudre de safran qui s'envole à travers vos doigts, le sucre qui roule sous la langue, le sirop qui se colle sur les lèvres. Je sens les longues caresses du vent pendant la sieste, le contact de l'herbe humide du matin sur les chemins qui me menaient à l'épicerie. Les longs filets d'air chaud, le soir, avec les amis, enivrent encore mes souvenirs d'une douce euphorie. Et puis, il y a l'eau du puits, mystique et infinie sensation de plonger dans un rêve... L'eau qui frôle, qui joue avec votre corps, qui fait avec votre chevelure de délicates arabesques.

Enfin ma Kabylie, c'est un regard jeté vers l'infini, vers l'éternité. C'est le silence de l'hiver lorsque la neige a tout recouvert. Ce sont ces grands sourires qui déchirent le ciel bleu. Ce sont les longs burnous des hommes, les robes aux couleurs chatoyantes qui s'affairent dans le village, les regards profonds, malicieux, pleins d'espoir.

C'est un peu tout ça, ma Kabylie : le rouge de la passion et le bleu de l'éternité.

Ma madeleine a le goût d'une crêpe à l'huile d'olive et au miel le matin face à la montagne orgueilleuse, le goût du pain chaud et de la figue sur les lèvres. Ma madeleine a le goût d'un souvenir brûlant et enivrant qui me donne la force d'avancer.

Être à la hauteur de mon rêve français

Je suis donc née en Algérie dans un de ces petits villages des montagnes kabyles, Tizi-Hibel. En 1989 mes parents ont décidé de rejoindre définitivement la France pour fuir une Algérie qui ne pouvait pas leur offrir une vie sereine et un avenir meilleur pour leurs enfants. Nous allions devenir de petits immigrés et parler le français.

Mais qui sont les Kabyles ? Quelle langue parlent-ils ? Pourquoi sont-ils aussi revendicatifs ? Les Kabyles sont des Imaziren, des « hommes libres », et parlent le tamazight, langue berbère. Ce n'est pas de l'arabe. Ni l'alphabet ni les sonorités ne se ressemblent. La Kabylie, c'est la terre des révoltes et des révoltés. Durant la colonisation, elle était la terre des soulèvements, elle l'est restée encore aujourd'hui.

La lutte pour la reconnaissance de la langue berbère a été réprimée avec une très grande violence au début des années 1980, c'était le « printemps berbère ». Vingt ans plus tard, en 2000, on parlera de « printemps noir »... Les revendications étaient toujours les mêmes, tout comme les méthodes du régime algérien qui tenta de contenir, par des tirs à balles réelles, les jeunes manifestants révoltés par la mort du lycéen Massinissa Ghermat suite à l'interrogatoire des gendarmes de Beni-Douala. Devant le JT de Claire Chazal, j'avais reconnu cette petite maison aux tuiles rouges : c'était celle de ma grand-mère. Les villageois en pleurs, une famille dans le malheur et aujourd'hui il ne reste que ce monument érigé en mémoire de cet innocent. En Algérie, à chaque élection, c'est de la Kabylie que partent les mouvements réclamant une démocratie transparente et laïque.

Cet attachement à la laïcité est une nécessité car les croyances sont diverses. Il y a des familles où toutes les religions sont représentées. On trouve des Kabyles musulmans, des Kabyles catholiques, certains disent même des Kabyles juifs notamment dans les villages d'orfèvres (d'ailleurs une montagne non loin de ces villages se nomme la « Main du juif »), et depuis peu on trouve même des évangélistes ! Dès lors, la laïcité paraît être le seul principe équitable, tolérant et juste qui permet de vivre ensemble. Malgré leurs croyances monothéistes, beaucoup maintiennent des pratiques héritées de traditions ancestrales et paysannes.

Complexes, les Kabyles embrassent les idées avec passion, ils ne connaissent pas l'indifférence, la demi-mesure. Ils sont des militants du pour ou du contre, rarement du compromis. Le nif, ce sens de l'honneur, de la parole donnée propre aux vieux peuples berbères, est au-dessus de tout autre principe… parfois jusqu'à la déraison. La culture orale a fait des Kabyles des conteurs de l'histoire familiale et de celle du peuple berbère, car les différents gouvernements algériens ont pendant longtemps fait disparaître tout passage sur les Berbères des manuels scolaires. À la « djemma », lieu où se rassemblent les hommes du village, le journal circule de main en main et toute la journée, la politique occupe les conversations.

Avant notre départ, je passais beaucoup de temps à les écouter parler de la situation de l'Algérie. Je ne saisissais pas tout, mais, comme les enfants, je comprenais l'essentiel. La politique était un sujet important, ces messieurs qui parlaient à la télévision décidaient de choses qui avaient des conséquences sur notre vie. Personne n'était optimiste quant à l'avenir de l'Algérie.Tout le monde rêvait de partir pour la France. Nous nous sentions privilégiés car nous avions la possibilité de le faire.

La France était une promesse. On me parlait de Paris, des femmes françaises, de la Tour Eiffel, d'intellectuels, de liberté de la presse, d'universités… même pour les filles. La France, c'était la possibilité de choisir sa vie et de devenir quelqu'un sans avoir la pression des fous de Dieu qui venaient obscurcir le ciel bleu algérien. La France, c'était le mérite et l'égalité des chances. Mon père me parlait de politique, de grandes écoles, de laïcité, de littérature française. Il me parlait des valeurs de la France, de la démocratie, de la liberté, de la solidarité. Il me disait que, là-bas, il n'y avait pas de différence entre les filles et les garçons.

J'allais entrer pour la première fois à l'école en arrivant en France. C'était en CP, j'étais excitée mais j'avais peur. Je comprenais le français, car nous parlions souvent en français, mais s'exprimer en français devant d'autres petits Français serait une autre affaire… Très timide et réservée, mes parents m'ont appris à me décomplexer. J'avais un cerveau comme les autres et le français viendrait rapidement.

L'école, c'est quelque chose de formidable quand on est enfant, on quitte ce stade de totale dépendance et l'on se construit un monde. C'est important de se construire un monde à soi quand on arrive dans une ville comme Roubaix où tout est gris. Nous étions arrivés dans le Nord car mes grands-parents y étaient déjà installés depuis les années 1950. C'était un bassin d'emploi important et les usines avaient fait appel à la main-d'œuvre algérienne. Les Kabyles étaient parmi les premiers à émigrer en France. Chaque famille envoyait un homme qui avait pour mission de travailler afin de nourrir ceux restés au village. Quand mon grand-père me raconte son arrivée et les conditions de travail, je suis admirative de son courage et reconnaissante. Les premiers mois, nous vivions chez mes grands-parents. La cohabitation ne s'était pas très bien déroulée et c'est après une énième humiliation de ma grand-mère paternelle que mes parents ont décidé de précipiter notre installation à Roubaix. Je me souviens du premier jour où nous sommes arrivés dans cette maison, encore une nouvelle maison, encore une nouvelle ville. J'avais hâte que l'on se pose enfin, que l'on soit enfin chez nous, sans dépendre de personne.

Mes parents avaient bien fait les choses, la maison était spacieuse et bien meublée même si certaines pièces méritaient une grande rénovation... L'eau chaude ne fonctionnait pas les premiers jours, mais les bains dans l'évier de la cuisine avec l'eau réchauffée dans une marmite me laissent des souvenirs inoubliables. Maman redoublait d'efforts et d'humour pour rendre ces moments agréables. Elle était heureuse car nous étions chez nous, enfin nous posions nos bagages. Quelques jours après, c'était déjà la fin des vacances et le temps des inscriptions. Mon école primaire se trouvait au milieu d'un parc, avec un lac, une cascade, et un magnifique hôtel particulier. L'allée qui menait à cette petite école était une roseraie qui finissait par un cerisier du japon en fleur. C'était grandiose, j'étais impressionnée ! Un parterre de fleurs pour accueillir mes premiers pas vers l'instruction, c'est peut-être pour cela que j'aime tant l'école. Mais, assez vite, l'école me montra un autre visage. Les enfants peuvent être terriblement cruels. Il y avait les moqueries sur mon accent kabyle qui venaient d'ailleurs souvent d'enfants d'immigrés. En quittant un pays, on se retrouve souvent déclassé socialement. Cela est amplifié par le déterminisme de certains professeurs qui expliquent que l'on est condamné à l'échec, au chômage et que l'on finira « au mieux secrétaire »... Heureusement mes parents connaissaient ce système et veillaient jalousement sur nos résultats scolaires et notre orientation. Nous devions être les premiers de la classe et nous documenter en plus des cours. Mes parents n'ont pas le compliment facile. Nous ne pouvions pas nous vanter d'être premiers de la classe car pour eux c'était bien mais jamais suffisant. « Tu es le premier, mais tu n'es que le premier des ânes, apprends plus », disait mon père. Avec cette phrase, la fierté légitime du premier de la classe laisse vite la place à l'angoisse de la régression. Apprendre toujours plus... Nous avions le devoir d'entamer ce marathon sans fin vers le savoir qui nous permettrait de prendre notre place dans la société française. C'était un message maladroit mais juste. Il ne fallait pas baisser la garde et poursuivre nos efforts car être le premier dans un établissement roubaisien ne signifiait pas être au niveau des élèves des meilleurs établissements du pays...

Mon père était devenu trésorier de l'association des parents d'élèves du collège de ma grande sœur et de mon grand frère. Il lui fallait s'investir pour avoir les bonnes informations et garantir à ses enfants un traitement plus juste ou moins discriminant. La discrimination et le racisme, nous étions prévenus de leur existence, mais il était interdit de nous plaindre. Face à une injustice de la part d'un professeur, la réponse était : « Il faut être meilleur encore, travaille plus, c'est la meilleure réponse. » Je trouvais parfois ma mère et mon père un peu durs mais je savais qu'ils avaient raison. Ils voulaient nous inculquer l'excellence. Nous n'étions pas tout à fait chez nous et il fallait nous préparer à surmonter les difficultés. Mes parents m'ont transmis cette force qui me permet aujourd'hui de ne jamais flancher face à l'adversité ou aux attaques. Je n'aime pas que l'on me plaigne. C'est une question d'orgueil et de fierté… deux stimulants très puissants qui rendent exigeants, poussent à se dépasser, à donner le meilleur.

D'ailleurs, j'étais tellement fière et exigeante que je pleurais systématiquement lors des conseils de classe… Au grand désespoir de mes professeurs qui pourtant me félicitaient. Pourquoi tu pleures ? demandait maman. Parce que j'avais l'impression de ne pas être à la hauteur de ses sacrifices. Je voulais être à la hauteur de mon rêve français. J'avais le sentiment que le chemin serait long et qu'il commençait dès l'école primaire. Si je flanchais durant ma scolarité, je n'y aurais pas accès. C'était un devoir. Un devoir envers mes parents, un devoir envers la France qui m'offrait tant de possibilités, un devoir vis-à-vis de ceux et surtout celles qui n'auraient pas cette chance. En France, avec du courage, beaucoup de choses sont possibles. Ce n'est pas le cas partout. Ça ne l'était pas dans l'Algérie des années 1990 et surtout pas pour une fille d'un village isolé de Kabylie.

Le complexe du colonisé

Mon père est arrivé en France à l'âge de six ans. Il avait avec sa maman et sa grande sœur rejoint mon grand-père qui travaillait dans le nord de la France. C'était au moment des « événements d'Algérie », ces événements qui ont duré des années, fait des centaines de milliers de morts, et qui ont mis de longues années avant d'être reconnus par les pouvoirs publics comme une guerre de libération à part entière. À cette époque, il ne faisait pas bon d'être un « bicot ». À l'école de son village, mon père était le seul Algérien. Les enfants et les adultes n'étaient pas tendres avec lui. Ils avaient un père, un frère ou un oncle engagés en Algérie. Mon père a connu les insultes, les discriminations et les injustices mais il n'a pas d'amertume et aucun complexe. Il ne nous a jamais transmis le complexe ou plutôt le syndrome revanchard du colonisé.

Aujourd'hui, les enfants ou petits-enfants d'immigrés sont des Français. Malheureusement, certains d'entre eux se sentent dans la peau du « colonisé », période qu'ils n'ont pourtant pas connue. Ils développent ce « complexe du colonisé », peut-être par confort… ou par facilité… La colonisation devient leur excuse pour justifier leur situation et leurs échecs. Pour faire simple : « La France a volé mes parents, ils nous ont dépossédés, fait de nous des pauvres, nous avons immigré en France, nous ne sommes pas riches ni intégrés, je n'ai pas réussi à l'école : c'est à cause de la France. » Ils imaginent qu'ils seraient devenus « quelqu'un » si leurs parents étaient restés au pays et que c'est à cause de la colonisation qu'ils ne connaissent pas ce destin… Aujourd'hui, ils entendent le faire payer à la France. Pour justifier chacun de leurs échecs, ils avancent l'argument de la colonisation. La méthode est simple : développer la culpabilité post-coloniale pour acquérir des droits dérogatoires, des aides ou des postes.

Certes la France a un passé colonial, comme toutes les grandes nations à la même époque.

Certes la colonisation a été une période d'injustice profonde, établissant une hiérarchie entre les citoyens et les sujets. Certes les « indigènes » n'avaient pas les mêmes droits que les Français. Certes des terrains et des exploitations ont été retirés à des Algériens pour les donner à des colons. Certes la guerre d'Algérie a été l'occasion d'atrocités. Mais cela est l'Histoire et il faut l'accepter. Je suis toujours étonnée d'entendre ces jeunes parler de la colonisation comme d'une injustice qui leur aurait été faite et qu'ils doivent venger. Pourtant, ceux qui ont connu cette période accompagnée de disettes, de morts, de couvre-feux, de la peur du contrôle, d'humiliations, ceux-là, comme mes grands-parents, ne gardent aucune amertume et aucune haine vis-à-vis de la France et des Français. Ils savent faire la part des choses, c'était la guerre et une guerre, ce n'est jamais propre.

Oui, il faut se souvenir. Oui. Par respect et par devoir. Se souvenir pour empêcher toute nouvelle guerre et construire notre avenir commun dans la fraternité. Soixante-dix mille soldats musulmans se sont battus pour libérer la France des nazis, la Mosquée de Paris a été édifiée en hommage et reconnaissance aux soldats musulmans engagés durant le conflit 1914-1918, plus tard elle a caché dans ses caves des enfants juifs durant l'Occupation. Des Français se sont battus et engagés pour l'indépendance de l'Algérie. Notre histoire est commune, les liens fraternels sont indéfectibles entre les deux rives de la Méditerranée. Les enfants de l'immigration, les déracinés, les nés en France, musulmans pratiquants ou musulmans à mi-temps, nous avons le devoir de regarder devant nous pour construire, dans le respect de son histoire et de son patrimoine, ce qui est aujourd'hui notre pays et sera celui de nos enfants, la France.

Le piège de la « double culture »

Les enfants issus de la troisième et de la quatrième génération sont parfois perdus entre deux cultures. Certains parlent de « double culture ». Je rejette ce concept. La « double culture » n'existe pas. La « double culture » n'amène qu'à être des demi-Français et des demi-autre chose... Revendiquer une double culture, c'est revendiquer une crise d'identité, c'est se placer en sous-citoyen, en « sous-culturé » des deux côtés de la Méditerranée. Étranger en France et Français « au bled ». Ni tout à fait d'ici, ni tout à fait de là-bas. C'est prendre un aller sans retour pour le mal-être, les complexes et la nostalgie, pour un mode de vie que l'on ne connaîtra jamais.

Quand on est issu de l'immigration, on n'a pas de « double culture ». On a sa culture. Ma culture c'est le mélange de mon éducation, de mes lectures, de mes rencontres et de mes choix. Je ne renie rien de ma culture kabyle, j'en connais les traditions, je parle la langue, je connais ses poètes et ses auteurs, son artisanat. Je suis descendante des Aït Mansour et des Aït Makhlouf. Nous avons la chance de compter parmi nos ascendants ceux qui ont préservé la culture berbère de Kabylie et son histoire. Fatma Aït Mansour, son fils Jean el Mouhoub Amrouche et sa fille Marie-Louise Taos Amrouche. Cette partie de ma famille était chrétienne et francophone. Ils se sont engagés, militants antinazis auprès de De Gaulle, patriotes et ensuite militants pour l'indépendance de l'Algérie. Chrétiens mais solidaires de leurs frères musulmans en Algérie pendant la guerre d'indépendance. Pourtant, les autorités algériennes n'ont eu de cesse, depuis, de les ignorer et de mépriser l'apport de leur combat pour l'indépendance et leur concours au rayonnement culturel de l'Algérie. Jean el Mouhoub Amrouche fut journaliste, critique littéraire, écrivain et poète (1906-1962). Il a fondé la revue *L'Arche* en 1944 sous le patronage d'André Gide et de Charles de Gaulle. Il fut le médiateur entre le FLN et Charles de Gaulle qui disait de lui : « Jean Amrouche fut une valeur et un talent… Par-dessus tout il fut une âme. Il a été mon compagnon. » Taos Amrouche (1913-1976) a été romancière et interprète de chants ancestraux de Kabylie hérités de sa mère et traduits en français par son frère Jean. Elle les a enregistrés, les préservant ainsi de l'oubli. Elle s'est produite au Théâtre de Paris et lors de nombreux festivals internationaux, elle obtint même un disque d'or. Taos était une militante de la préservation du patrimoine culturel berbère et kabyle, elle a excellé dans l'opéra en langue amazigh… ce qui explique pourquoi seule l'Algérie lui refusa l'invitation au Festival culturel panafricain d'Alger en 1969… Rebelle, elle s'y rendit tout de même, défiant les autorités algériennes pour chanter devant les étudiants d'Alger. Taos Amrouche a participé également à la fondation de l'Académie berbère de Paris en 1966 et fut la première femme originaire « des colonies » à assurer à la radiodiffusion française une chronique hebdomadaire en langue kabyle, consacrée au folklore oral et à la littérature nord-africaine. Néanmoins, malgré cet héritage, il n'y a pas une rue d'Algérie qui porte le nom de l'un des membres de cette famille. Un autre illustre personnage de mon village est Mouloud Féraoun (1913-1962), instituteur et romancier, ami d'Albert Camus, dont les romans furent publiés aux éditions du Seuil. Il raconte « l'âme kabyle » et les relations entre la France et l'Algérie pendant la colonisation et la guerre d'indépendance. Il décrit cette Algérie qui s'est affranchie de la France avant de rompre définitivement avec elle et la passion enivrante qui lia ces deux pays.

Auteurs, historiens, ils ont su préserver la mémoire de la culture kabyle par l'écriture. Ils ont été les enfants de mon village, ils sont de ma famille. Cette partie de moi, je la chéris et je la mélange à ma culture française. Je prends le meilleur des deux et j'en fais « ma » culture, avec mes valeurs, mes principes, mes références, mes devoirs de mémoire.

J'aime la retenue, le sens du travail, et le sens de la parole donnée chez les Kabyles. En revanche, je refuse la place à laquelle sont traditionnellement assignées les femmes. Je rejette le déterminisme sexuel, cette voie toute tracée pour les femmes : assistante maternelle et domestique, puis épouse dévouée et mère cumulant les responsabilités sans reconnaissance. En Kabylie, pendant longtemps les filles n'avaient pas le droit à l'héritage car cela sortait du giron familial (c'est-à-dire celui de ceux qui perpétuent le patronyme) les biens de la famille et enrichissait une autre famille (un autre patronyme). J'ai donc décidé de rejeter cette partie du modèle kabyle.

La culture est une forme d'identité. Nous héritons d'un bloc que nous faisons évoluer par nos choix. Pour ma part, j'ai fait une synthèse de ma culture kabyle et française. Un Breton, un Corse ou un Antillais aura également à faire ce travail de synthèse entre sa culture ancestrale et la culture républicaine. Quelle partie de nos coutumes et de nos traditions choisissons-nous de perpétuer et quelle partie choisissons-nous de laisser aux livres d'histoire ? Chacun à son échelle, tout Français, « canal historique » ou « issu de l'immigration », fait ses choix et invente « sa » culture.

J'ai toujours estimé que je devais créer « ma » culture dans le respect de celle du pays dans lequel mes parents ont décidé de s'installer… Sans ce respect, il ne peut y avoir de cohésion nationale. Il ne faut pas oublier son héritage familial et culturel, mais ils doivent être préservés de manière discrète, sans heurter le modèle de la société dans laquelle nous vivons. Autrement dit, selon moi, c'est à celui qui arrive de s'adapter à la culture française et de faire un pas vers elle et non l'inverse.

Le concept de « double culture » stigmatise et fait ce que l'on appelle « le jeu du Front national ». Il sous-entend que les enfants issus de l'immigration ne parviendront jamais à s'intégrer à la culture française, car ils ne font pas les efforts nécessaires et demeurent plus attachés à leur culture d'origine… Si c'est vrai pour un certain nombre d'entre eux, ce n'est pas le cas de la grande majorité. Il suffit d'observer des Français « issus de l'immigration » en vacances « au bled » pour voir à quel point ils sont déboussolés et ne sont pas à leur place !

La « double culture » a des effets catastrophiques sur les jeunes. Elle crée une forme d'instabilité identitaire. Elle les place dans une quête permanente du passé alors qu'il faut se mobiliser pour se créer un avenir dans un pays à la situation économique désastreuse et dont le taux de chômage pour les jeunes ne cesse de grimper. Elle rend plus difficile l'intégration, car la peur de rompre avec une partie de soi rend sensible aux discours des extrémistes religieux et autres radicaux politiques. Ainsi, dès qu'un coup dur se présente, la tendance est de se dire que, finalement, ces fous de Dieu ont peut-être raison. La « double culture » est une assignation à résidence, une résidence dont on ne connaît pas vraiment l'adresse, une forme de nomadisme de l'identité.

Le rapport sur l'intégration illustre cette instrumentalisation de la notion de « double culture ».

Le français n'est pas ma langue maternelle et c'est grâce aux efforts que j'ai fournis pour maîtriser la langue de Molière que mon intégration s'est parfaitement déroulée. Je considère que l'intégration passe d'abord par une bonne maîtrise de la langue du pays d'accueil, et j'en sais quelque chose... J'ai fait le choix d'éviter de parler le kabyle, à part en vacances ou dans des circonstances qui m'y obligent, et je me suis concentrée sur le français. Cette langue était si complexe et si éloignée des sonorités de ma langue de naissance... Quand j'étais en primaire, j'apprenais scrupuleusement mes listes de vocabulaire, j'ouvrais le dictionnaire pour découvrir de nouveaux mots, c'était comme une chasse au trésor, et les pièces d'or étaient les mots.

En janvier 2013, un rapport ahurissant préconisait d'ajouter comme langues vivantes l'étude de langues africaines, de l'arabe ou de l'hindou et cela pour... garantir « une meilleure intégration des élèves d'origine étrangère ». Je me pince. Et pourtant c'est bien ça... Je ne peux pas y croire, cela doit certainement être une stratégie de communication élaborée par les services de Matignon pour créer un écran de fumée, et faire oublier la mauvaise note attribuée par l'OCDE à la France dans le cadre de son Programme international pour le suivi des acquis des élèves de quinze ans (PISA). Pourtant, ce rapport, ce n'était pas le premier à présenter l'école française comme une école à deux vitesses, où le fossé entre les « bons » élèves et les « mauvais » ne cesse de se creuser. Le plus scandaleux dans cette mauvaise note, c'est le déterminisme social qu'il met en évidence. Les « bons » élèves sont « issus de milieux favorisés » et les « mauvais » élèves sont « issus de milieux défavorisés ». La France est classée 13 sur 34 lorsqu'il s'agit des enfants de milieux favorisés. Par contre, la chute est vertigineuse pour les enfants issus de milieux défavorisés... On dégringole à l'avant-dernière place : 33 sur 34 !... Une humiliation pour la France du mérite et de l'égalité des chances. Vingt rangs d'écart entre le niveau de la France des élèves « d'en haut » et la France des élèves « d'en bas »...

La France est donc le pays où l'école bat des records d'injustice. J'en ai fait l'expérience. Comme beaucoup d'enfants issus de l'immigration, je devais toujours, systématiquement, inlassablement, travailler et prouver plus que les autres, me battre pour obtenir ce que je pouvais légitimement espérer. Pour moi, c'était toujours « non ». Non à la filière générale... Pourtant, j'ai eu mon bac ES sans difficulté. Non à la prépa... J'ai été acceptée. Non au concours... J'ai été admise. « Non ce n'est pas pour toi »... Aujourd'hui, les « non » je ne les entends plus. Je suis vaccinée contre les « non ». Un « non », c'est un défi. Pour moi, c'est toujours possible, d'une manière ou d'une autre. Aucun « NON ! » n'a pu m'empêcher de poursuivre mes objectifs et mes engagements.

L'école de la République reste notre bien le plus précieux. Le meilleur moyen de favoriser l'adhésion des jeunes esprits à nos valeurs. Comment pourrait-on poursuivre cette œuvre « de vivre ensemble » si l'on entame la déconstruction de l'école de la République en introduisant des différences d'apprentissage ?

Quand on va dans les quartiers populaires, on se rend vite compte qu'une bonne partie de cette France est issue de l'immigration (maghrébine, africaine, asiatique...). Ces enfants-là sont des enfants qui doivent se construire avec deux fardeaux. Celui d'être « défavorisés », et celui d'être « de l'immigration », donc différents... Apprendre dans ces conditions est plus difficile, demande plus de temps, de courage. La société est plus exigeante, pour ne pas dire intransigeante avec ces enfants. Ils se doivent d'être bons, très bons. Alors quand j'ai entendu l'ancien Premier ministre parler de ces propositions d'apprentissage des langues maternelles pour facilité l'intégration, mon sang n'a fait qu'un tour. J'étais meurtrie pour tous ces enfants qui se retrouveraient cantonnés à la langue de leurs origines, alors que leur avenir est ici, avec nous. Pourquoi ne pas consacrer ce temps d'apprentissage aux fondamentaux, essayer de combler les lacunes, perfectionner l'acquisition des connaissances ? Les enfants issus de l'immigration sont « au moins deux fois plus susceptibles de compter parmi les élèves en difficulté », dit le rapport PISA. Au-delà de la fracture sociale, c'est bien d'une fracture du savoir et du partage des connaissances qu'il s'agit. Il faut les combattre afin de favoriser l'intégration des enfants issus de l'immigration. L'effort doit donc être concentré sur l'apprentissage du français tant à l'oral qu'à l'écrit. Cette maîtrise de la langue est l'élément déterminant de l'intégration et de l'évolution sociale. L'apprentissage des langues comme l'arabe ou l'hindou doit venir bien après l'acquisition des fondamentaux.

L'école française décroche et ses victimes sont les enfants de milieux défavorisés et ceux issus de l'immigration. Il ne faut pas céder à la facilité en mettant en place une école à la carte. Une école où la République recule et rompt avec l'égalité dans l'enseignement. Une école pour les Français « d'en bas » ou ceux venus d'ailleurs, auxquels on proposera d'apprendre leur langue maternelle... Plutôt que de leur enseigner l'anglais, on leur proposera de prendre l'arabe ou l'hindou... et forcément la paresse naturelle de certains adolescents, couplée au manque de vigilance et d'information de certains parents, feront qu'ils opteront pour l'enseignement de la langue qui leur demande le moins d'efforts, car il s'agira de la langue parlée à la maison. Encore une fois, sous des airs d'ouverture et de générosité, avec cette proposition, on laisse ces élèves sur le quai, en leur retirant toute possibilité de se raccrocher au wagon de la réussite. Plus pervers, cela sera aussi l'occasion de les regrouper par origines ethniques dans la même classe et d'inviter au repli par communauté au sein de l'école... Pourtant nous leur devons une école exigeante, d'autorité et d'effort car c'est ainsi que l'on tire vers le « haut » ces enfants qui seront « les forces vives de la Nation ».

Porter l'honneur de sa famille entre ses cuisses

Les sociétés maghrébines sont paradoxales et pleines de tabous. Le plus grand des tabous est le sexe. Il ne faut jamais parler de sexe. Si un jeune homme s'interroge sur ces questions c'est un pervers, un malade, un tordu. Si c'est une jeune fille qui s'interroge, elle est potentiellement une pute. Le raisonnement est simple : la sexualité est impure et ne doit exister que dans le cadre du mariage. Il ne peut pas y avoir de sexe ou de pensée sexuelle avant le mariage. Tout un programme ! Regarder un film en famille est un moment laborieux. Il faut rester vigilant pour zapper au moindre baiser… Cachez-moi cette tendresse, cachez-moi cet amour, vite de la pudeur !

Et si l'on oublie de zapper, Maman est toujours là pour nous rappeler par un « hum hum » qu'il le faut...

Pourtant, dans ces sociétés où l'on n'évoque jamais le sexe et l'intimité, une seule chose obsède les mères : l'entrejambe de leurs filles. Alors très tôt, elles s'évertuent à faire comprendre avec des discours alambiqués et des histoires terrifiantes qu'il ne faut jamais ouvrir les cuisses au risque de devenir une impure et de jeter le déshonneur sur la famille. Porter l'honneur de sa famille entre ses cuisses... Quelle lourde responsabilité pour de si jeunes filles. L'honneur tient donc à une microscopique petite peau ? Si peu de chose. Ces mères n'aiment pas évoquer ces sujets et c'est pour cela qu'elles usent d'imagination pour faire passer le message (la pudeur encore). Elles savent la misère d'être réduites à un hymen. Elles haïssent cette virginité et son culte, mais elles savent à quel point la vie d'une femme peut basculer en enfer si elle n'est pas vierge. Maudite virginité qui a brisé la vie de tant de jeunes filles. Dans une société où le sexe est tabou, très jeune on ne vous parle que de votre sexe. Pour les filles, la mission est de préserver son hymen pour préserver l'honneur de sa famille et avoir la chance de trouver un mari !... Et si l'on ose s'interroger sur la raison de la différence de traitement avec les garçons, la réponse est inlassablement la même : « Lui, ce n'est pas la même chose, c'est un garçon. » Il a donc le droit à l'insouciance de l'enfance et ne porte pas l'honneur de la famille... Étrange mensonge... Pourquoi alors les femmes n'ont-elles pas le pouvoir, si elles portent l'honneur des familles ?

C'est dans cette obsession de l'entrecuisse des filles que se trouve l'origine de la différence de traitement entre les filles et les garçons dans l'éducation maghrébine, encore aujourd'hui en France. Voilà pourquoi les filles ne sont pas autorisées à sortir ou à avoir des relations amoureuses comme les garçons. Je me souviens qu'au collège les filles qui osaient porter des tampons étaient considérées comme des « salopes » par les autres filles. La rumeur disait que les tampons faisaient perdre la virginité et rendaient moins farouches. Une autre rumeur concernait l'équitation. Cette discipline avait une mauvaise réputation car elle briserait l'hymen et rendrait précoce... Je me souviens surtout de ces histoires terrifiantes et cruelles de jeunes filles qui n'avaient pas saigné lors de leur nuit de noces. Elles étaient immédiatement répudiées par leurs époux, humiliées publiquement par la belle-famille. Elles étaient aussi rejetées par leurs familles. Au mieux elles devenaient l'esclave de la famille en attendant qu'un vieillard daigne les épouser. Durant toute leur vie, elles seraient celles qui n'étaient pas vierges. Elles avaient potentiellement fauté. Je dis potentiellement, car il est reconnu par les gynécologues que le saignement n'est pas systématique lorsqu'on perd sa virginité. Des vies brisées pour cause d'hymen qui ne veut pas saigner. D'ailleurs, les femmes qui ne possèdent pas d'hymen sont-elles impures dès la naissance ?

Parmi ces histoires de virginité, la plus révoltante était celle où une jeune fille, fiancée, avait cédé aux demandes incessantes de son futur mari. J'ai le souvenir d'une jeune femme de mon village, promise à un bel avenir. Elle venait d'avoir brillamment son bac et se préparait à entrer à l'université. Elle était tombée éperdument amoureuse d'un garçon qui l'aimait également. Ils avaient décidé de se marier et les familles préparaient la noce. Le jeune homme l'amadouait sans cesse pour coucher avec elle avant la cérémonie. Elle a fini par céder. Elle lui faisait confiance et ils s'aimaient, alors ils n'étaient pas à une semaine près. Mais la veille du mariage, il annula tout et la répudia devant les deux familles et les amis. Sa faute ? Elle avait couché avec lui avant le mariage. Si elle avait cédé à ses avances, elle pourrait céder aux avances de n'importe quel homme. Dans la vie « normale », c'est cet homme qui devrait être condamné pour abus de confiance, pour trahison et immoralité. Eh bien non ! L'homme, quelles que soient sa médiocrité d'âme et sa malice, est toujours celui qui a raison (rappelez-vous que « ce n'est pas la même chose, lui c'est un garçon »). Elle avait cédé, elle avait eu tort, et elle aurait désormais tort toute sa vie. On notera que la femme maghrébine porte toujours la responsabilité des événements même lorsqu'elle est victime. Les garçons maghrébins sont élevés pour dominer et régner sur les femmes, sans jamais endosser aucune responsabilité ! Les hommes rêvent donc de vierges et de soumises élevées pour les servir. C'est très important d'avoir des femmes qui les laissent s'exprimer, les mettent en avant et surtout ne brillent pas plus qu'eux intellectuellement et professionnellement. Ils ont été élevés comme des enfants rois pour devenir des hommes rois. Un roi qui manque de noblesse.

Cette éducation se transmet par les femmes de génération en génération, comme pour perpétuer leur malheur. D'ailleurs, lorsqu'une femme accouche d'un garçon c'est une grande fierté. La coutume veut qu'un festin soit donné et que l'on sacrifie un mouton (les familles les plus riches vont jusqu'à sacrifier un bœuf) afin de pouvoir convier tout le village. La mère est très fière car elle a rempli sa mission et a sauvé l'honneur de la famille. Elle doit alors se cacher pour se préserver du « mauvais œil » et des jaloux. À l'inverse, lorsqu'elle accouche d'une fille, il y a un grand sentiment de tristesse et de honte. Certaines grands-mères vont même jusqu'à mentir sur le sexe du bébé pour gagner du temps sur la honte qui arrive. La maman culpabilise surtout si la petite fille est son aînée. Pour elle, il n'y aura pas de festin.

Harcèlement de rue

Dans la culture orientale, le sexe est tabou et la virginité, elle, est sanctifiée… et cela rend fous les hommes. Le harcèlement de rue décrit par la journaliste belge Sofie Peeters est une réalité quotidienne dans les quartiers communautaristes. Une partie des hommes de ces communautés considèrent qu'ils peuvent se permettre n'importe quel propos à caractère sexiste et dégradant. Souvent installés à la sortie des métros ou à la terrasse des cafés, rarement seuls, ils jugent de manière salace les filles qui passent, les suivent pour leur faire des propositions indécentes mais « en tout bien tout honneur » bien sûr !… Et en cas de refus, ils insultent et humilient publiquement la jeune fille qui accélère le pas et baisse la tête, en se disant que ce n'est qu'un mauvais moment à passer et qu'il ne faut pas réagir afin d'éviter de se faire agresser.

Ils sont excités pour un rien, tentent leur chance avec n'importe qui. Parfois, j'ai de la peine car ils ne sont que le fruit d'une société d'interdits et de non-dits. Il est évident que dans une société où les hommes ont le droit d'avoir des rapports sexuels en dehors du mariage et les filles doivent impérativement rester chastes, il y a rapidement et mathématiquement un problème d'accès au plaisir sexuel et des frustrations importantes s'installent…

Je me souviens que lors de nos vacances en Algérie les journées à la plage étaient souvent un calvaire pour mes parents et mes sœurs. En France, c'était un moment de détente et de liberté en famille. À la plage je portais des bikinis sans me soucier du regard des autres et sans que cela émeuve qui que ce soit. En Algérie, nous devions passer au maillot une pièce et porter par-dessus un short, par « pudeur ». C'était inconfortable et injuste. Je haïssais cette contrainte et cette fausse pudeur. Cela me révoltait. Je n'avais qu'une hâte, grandir et retourner sur les plages de la liberté des côtes françaises et espagnoles. Pourquoi mon corps de pré-adolescente qui n'était pas sexualisé sur les plages françaises le devenait-il en Algérie ? Je n'avais pourtant pas changé. Cette anecdote est révélatrice du rapport difficile au corps qu'ont encore les sociétés maghrébines, même ici en France. À force de garder ces sujets tabous, ces sociétés ont créé des générations de handicapés de l'altérité.

D'ailleurs, à force de tout cacher, par le voile, la burqa et par cette hypocrite pudeur, la tenue la plus sobre devient excitante. Passer devant eux en jupe, en jean, en survêtement, cheveux libres ou attachés provoque leur libido mal contrôlée. Voilà qu'une myriade de noms d'oiseaux, de phrases fumeuses fusent. Je pense que ces hommes ont un problème important de frustration sexuelle et de confiance en eux. La rue devient alors un lieu hostile, réservé aux hommes, où le sentiment d'insécurité est permanent pour le « deuxième sexe ». Traverser ces rues pour une jeune fille est une épreuve. Quelle que soit l'heure, elle se retrouvera réduite au statut d'objet sexuel sous le joug de prédateurs avides de sexe et de soumission. Il y a plusieurs niveaux dans le harcèlement de rue qui va des remarques salaces à la menace. Il faut anticiper sur tout, ne pas se laisser aller à ses envies vestimentaires et toujours être à plat pour pouvoir courir… C'est un grand sentiment d'insécurité qui nous envahit. On se sent immédiatement vulnérable. Pour se protéger, il faut être dans l'hyper contrôle de soi, en mettant en place des systèmes de protection et d'anticipation des agressions verbales ou physiques… Raser les murs, courber le dos, laisser couler… car il suffit d'une réplique assassine ou d'un simple regard pour que la situation dégénère vers l'agression physique. Dans ces quartiers on se bat pour un regard, on agresse pour un regard. Leur phrase favorite : « Pourquoi tu me regardes, tu me cherches ? Baisse les yeux tout de suite ou je… » Il ne faut jamais que les regards se croisent, c'est ce que j'ai compris. Depuis j'ai adopté un regard qui porte toujours au loin, dans la rue ou dans le métro à Paris sur certaines lignes, j'évite tout contact visuel car il pourrait être interprété comme une provocation par ces petits cerveaux en mal de sensations. Le regard c'est comme le premier domino qui fait tomber tous les autres en cascade. Ce regard qui croise un autre regard pourrait être un appel au calme et à l'humanité, mais il n'en est rien chez les loubards des quartiers. Pour eux, ce regard c'est de la défiance, c'est un excitant, pire, il est la justification de leurs agressions… Insultes, coups, vols ou pire… Juste un regard.

Chaque jeune femme a ses « techniques » pour se protéger dans la rue et éviter de se faire agresser. Le hashtag « #safedanslarue » (en sécurité dans la rue), qui a été abondamment partagé sur Twitter par des femmes en février 2014, a démontré au travers de très nombreux témoignages combien les femmes qui vivent en milieux urbains ne se sentent pas en sécurité et demeurent toujours vigilantes. Certaines évitent de sortir seules, d'autres se camouflent, toutes vérifient qui marche derrière elles, en s'arrêtant pour refaire leurs lacets ou en regardant dans le reflet des vitrines de magasins. Elles font mine de ne pas entendre, d'être au téléphone quand cela est possible, ou de porter une alliance.

Ces hommes abordent toujours de la même manière, à croire qu'il y a un manuel du *Comment draguer comme un abruti en 10 leçons* que ces crétins se sont partagé. La première approche : « Mademoiselle t'es charmante », « Vous me plaisez beaucoup, arrêtez-vous », « Vous êtes magnifique, un plaisir pour les yeux mais pas seulement les yeux… attendez… ». L'humoriste Carole Krief décrit parfaitement cette première étape. Parfois ces phrases sont introduites par un sifflement, un cri ou des petits bruits « psit psit », « hé hé » ou des « mouah mouah » comme dans la chanson Kiss du chanteur turc Tarkan. Ce sont des bruits que l'on entend aussi dans le Maghreb pour appeler les chats... Eux rêvent d'attirer enfin « une chienne »... La deuxième étape, c'est celle où ils vous suivent pendant de longs, très longs mètres et ne vous lâchent plus : « Viens on fait connaissance, en tout bien tout honneur », « On prend un café, je suis quelqu'un de bien, détends-toi, tu es stressée, c'est cool », « J'ai un appartement pas loin, on pourrait passer un moment tranquille pour se connaître, c'est romantique »... Dernière étape, vous n'avez pas cédé à leur irrésistible charme et ils ont compris que ce ne serait pas possible. Alors pour sauver leur honneur bafoué, ils vous insultent et vous menacent : « Tu te prends pour qui, t'es trop moche », « De toute façon t'es qu'une pute, sale pute ! », « T'es une sale lesbienne, c'est sûr ! », « Les filles comme toi j'en veux pas, t'es une merde salooope »... J'oubliais également l'étape exclusivement réservée aux filles maghrébines : la culpabilisation et les menaces : « On baisse les yeux devant les hommes », « Toi t'es une rebelle, on va te dresser ! Attends la prochaine fois que je te vois... », « T'as pas honte de t'habiller comme ça, c'est Haram (défendu dans la religion) », « T'es qu'une pute avec ta minijupe, tu devrais avoir honte, franchement ça ne se fait pas. C'est de la provocation. Faut que tu arrêtes. Tu vas avoir des problèmes un jour », « Une fille comme toi, c'est de la merde, les filles bien, elles ne sortent pas », « eh tu t'arrêtes pas ? Tu préfères les Noirs ?... »

Ce qui m'étonne toujours avec ces imbéciles, c'est qu'ils n'imaginent jamais que leur comportement puisse être déplacé, irrespectueux, humiliant. Ils ne peuvent concevoir qu'ils doivent d'abord s'appliquer leurs leçons de morale avant d'en donner.

Ce que je décris est le quotidien de centaines de milliers de jeunes femmes ici en France, et de millions de jeunes femmes dans le monde. J'ai la chance d'être une jeune femme en France. Quelle chance ! La France, le pays de l'égalité, des combats féministes, de Simone Veil, des bikinis sur la plage, des minijupes. La France du choix. Quelle liberté plus belle et plus chère que celle d'avoir la possibilité de choisir, de dire non, de refuser ou d'accepter. La liberté d'être son propre arbitre, loin du poids de la tradition. Cette fameuse tradition qui ne régente que la vie des femmes. En France, les femmes avaient réussi à remettre la tradition à sa juste place, au placard. Malheureusement, ces avancées n'ont pas atteint tous les esprits et tous les territoires de la République. Dans les quartiers populaires, c'est le modèle du pays d'origine qui domine désormais. Il étouffe ses enfants. « À Rome vis comme les Romains », c'est ainsi qu'on m'a élevée, c'est ainsi que je conçois la vie, sans toutefois oublier mes racines, mes origines ou mes croyances.

Les sociétés musulmanes sont des sociétés patriarcales, où le machisme est érigé en principe. Les femmes ont intériorisé cette donnée. Les hommes en usent et en abusent, parfois consciemment, parfois sans se rendre compte de l'inhumanité de leurs comportements. L'immigration maghrébine a été importante en France, une majorité de ces populations a évolué, se fondant dans la masse, mais une autre partie aujourd'hui dans les quartiers communautaristes redécouvre et perpétue cette ségrégation hommes-femmes et ce machisme au sein même de notre République… et les politiques laissent faire par lâcheté, opportunisme ou parfois les deux.

« Surtout ne pas stigmatiser ! »

Je n'ai fait le ramadan que trois jours dans ma vie. C'était ma fantaisie. Ça me prenait comme ça un matin mais pas plus. Je n'aime pas les choses imposées que je ne comprends pas. Imposées par l'homme ou par Dieu ? Chacun sa conscience, chacun sa relation avec Dieu. Je considère la foi comme une démarche intime. Avec Dieu, j'ai une connexion directe et j'ai la conscience tranquille. La religion est un ensemble de valeurs et de principes qui se mêlent parfaitement à ceux d'une vie saine et droite. J'ai un rejet très fort de la partie que j'appelle « réglementaire » de la religion. Je considère que cette partie est une entrave à ma liberté et est en contradiction avec l'essence même de la religion. Pour moi le ramadan fait partie de cette réglementation d'un autre temps.

Au lycée, je n'ai jamais aimé les interrogations en forme de reproche de ceux qui considéraient que j'étais une traîtresse car je ne faisais pas le ramadan. Qu'est-ce que ça pouvait leur faire ? Je n'avais de comptes à rendre qu'à mes parents et à ma conscience. J'aimais répondre, avec un brin de provocation, que je le faisais toutes les nuits.

Durant le mois du ramadan, les familles se retrouvent, partagent et soutiennent les plus démunis. Il y a de la solidarité et beaucoup de chaleur humaine. Souvent ma mère mettait de côté les parts réservées à « Sadakha », la charité. Elle apportait cela à des familles dans le besoin, qu'importe leurs origines et leur religion. J'aimais rentrer de l'école et sentir tous ces parfums qui venaient de la cuisine… Nous allions bien manger ! Le ramadan pour moi, c'est cela, un moment de convivialité, un moment dans l'année où l'on se concentre sur les choses essentielles de la vie et durant lequel on pense à son prochain.

L'ouverture d'esprit de mes parents était exemplaire. Ils ne m'ont jamais imposé de faire le ramadan, c'était secondaire. Il fallait d'abord être en forme pour être attentif durant les cours. L'école, c'était la priorité. L'école publique, ce n'était pas le lieu pour parler de Dieu ou mettre en pratique sa foi. J'étais de toute façon trop fragile pour tenir une journée sans manger ni boire.

Mon père ne fait pas le ramadan, trop libre et trop accro aux cigares. J'aime son indépendance d'esprit et son humour grinçant lorsque l'on vient le chercher sur le terrain de la religion. Dès le collège, je tentais de m'en inspirer pour me défendre face aux attaques des petites frappes (filles et garçons) qui se prenaient pour la police religieuse. Ils voulaient faire leur loi, et si un enfant d'origine maghrébine ne faisait pas le ramadan, il était appelé « traître », « harki », « roumi » (cathos), « ghaouli » (Français)... Ils mettaient la pression durant tout le mois du ramadan aux non-pratiquants, sans jamais être inquiétés... par les enseignants.

Ces petits esprits n'avaient pas saisi l'esprit du mois du ramadan. Ils le faisaient plus pour être en vue, et ne pas être dans le groupe des « victimes ». Ils étaient intolérants, vulgaires, violents, mais comme ils ne mangeaient pas et ne buvaient pas, ils étaient donc de « bons musulmans ».

J'étais considérée comme musulmane, je devais donc faire le ramadan et, si je ne le faisais pas, il fallait que je me cache si je voulais manger un goûter pour ne pas les déranger mais aussi pour éviter les ennuis. En pleine période de ramadan, propice au recueillement, à la mesure et à la tolérance, c'est le nouvel islam, celui de l'intolérance, qui avait gagné ces gamins. C'étaient les prémices de la gangrène du communautarisme qui s'était installée à l'école aussi, elle se propageait, sans même que l'on eût le temps de réagir... Surtout il ne fallait pas « stigmatiser ».

Le prétexte de la « stigmatisation » est devenu le cache-misère des républicains lâches. Pour s'en débarrasser, il va falloir user de courage, de vérité et de détermination pour réveiller notre République. Dans l'intérêt de tous, dans l'intérêt de la dignité des musulmans de France aussi, et dans l'intérêt de notre destin commun.

Les prosélytes au lycée

Au lycée, la pression lors du ramadan ne s'était pas atténuée à mon grand désespoir. Je pensais que cela aurait été le cas car il y avait très peu d'élèves de confession musulmane. Pire, une des salles de permanence était « réservée » pour les lycéens faisant le ramadan. Ils avaient également réclamé une salle de prière. Je m'étais insurgée contre celle-ci. J'étais scandalisée que l'on puisse oser demander ce genre de chose. Étions-nous encore dans un établissement laïc ? Un lycée de la République ? L'école à l'école, la religion chez soi. Je ne venais pas au lycée pour voir ce type d'agissement et parler de religion. Je m'opposais à leur demande. J'en faisais une affaire de principe.

Une affaire de respect et de solidarité avec ceux qui souffraient pour s'opposer aux obscurantistes. Ma mobilisation contre cette demande de salle de prière au sein de l'établissement m'avait valu, encore, d'être copieusement et régulièrement insultée. J'avais gagné les étiquettes de « traître », de « harki » (comment être harki en étant née en 1984 en Algérie ?...), et le summum était de « Kabyle mangeur de cochon »... D'autres voulaient aller plus loin. Certainement dans un élan de générosité, ils s'étaient décidés à me convertir et à me « remettre sur le droit chemin » comme ces autres filles qui à l'approche du bac, auquel elles allaient échouer, se rachetaient une respectabilité en se voilant de noir. Après des années en jeans ultra-moulants, string apparent et maquillage excessif, elles passaient au hijab ou à la burqa afin de trouver un mari « bon musulman ».

Voilà donc que quelques nigots nés en France rêvaient de vivre selon les règles d'un islam radical... et de l'imposer aux autres... y compris au sein de l'école de la République ! J'étais ulcérée, consternée, révoltée. J'avais le sentiment que ces élèves – enfants grandissant dans le confort de la démocratie et de la République – trahissaient leurs familles, qui de l'autre côté de la Méditerranée avaient fait face à la terreur des islamistes...

Nous étions en pleine « décennie noire », avec chaque jour son lot de morts innocents pour avoir refusé de céder face aux islamistes arrivés discrètement du Moyen-Orient (mes doigts ont dérapé et écrit Moyen Âge avant de corriger). Personne n'avait perçu le danger. Discrètement et méticuleusement, les islamistes ont prêché dans les mosquées, ils ont écoulé dans toute l'Algérie leurs manuels (comme ils les écoulent aujourd'hui en France dans les mosquées, les centres culturels, les marchés des quartiers populaires et les librairies islamiques). Ils étaient auprès des plus démunies, des laissés-pour-compte, des jeunes sans autre horizon que le chômage... Ils les ont séduits, ils les ont aidés, ils ont acquis leur confiance et leur estime. Mot après mot, douceur après douceur, ils les ont emmenés vers l'islamisme. Ils sont ainsi devenus les soldats de la terreur comme le décrit Yasmina Khadra dans son livre *À quoi rêvent les loups*.

Ils procèdent de la même manière aujourd'hui en France, en recrutant des jeunes désorientés pour en faire des soldats de la haine, des bombes à retardement, des djihadistes. Les islamistes que ce soit en Algérie ou en France ciblent les mêmes profils, celui des déçus, des désociabilisés, des ex-prisonniers, des ex-toxicomanes. C'est le parcours de Medhi Nemmouche, l'auteur de la tuerie du

Musée juif de Belgique de mai 2014. Celui d'un petit délinquant qui s'est radicalisé en prison, rejetant la société, et est revenu du djihad pour commettre des attentats contre l'Occident, les mécréants et les juifs. Ce jeune de vingt-neuf ans venait de Roubaix et Tourcoing. Nous aurions pu fréquenter le même collège…

Au lycée, par curiosité, parfois, j'écoutais ceux qui voulaient « me convertir » et me « remettre dans le droit chemin » pour mesurer le niveau d'âneries dont ils étaient capables. Ils me parlaient de leur islam, prenant le ton des prêcheurs pénétrés par chaque mot. Ils disaient *wallah* après chaque phrase. Ils me mettaient en garde contre mon destin… Je finirais forcément en enfer si je poursuivais ma vie en étant hors de la religion. Il fallait que je fréquente plus de « sœurs ». L'islam qu'ils évoquaient ne me disait rien, absolument rien. Je n'avais jamais vu ni en France ni en Kabylie les comportements qu'ils décrivaient. C'était l'islam des interdits : interdiction de faire la bise à un homme, interdiction d'écouter de la musique, interdiction de porter du parfum, interdiction de sortir seule, interdiction de se raser pour les hommes, interdiction de se dévoiler…

et évidemment interdiction de travailler pour les femmes !

J'avais compris que c'était ce que l'on appelle l'islam des cités ou l'islam des caves. Des centaines de jeunes se rassemblaient chaque jour dans ces mosquées de fortune où des fous de Dieu, au français approximatif, à la barbe longue, venaient prêcher un islam fait de haine de l'autre, haine de la femme et de la France… La République a abandonné des territoires, et les fanatiques comme les mauvaises herbes ont rapidement envahi le terrain.

Quand je racontais cet islam à ma mère, elle me répondait : « C'est n'importe quoi. Je n'ai jamais entendu parler de ça ! Ils sont devenus fous… » Puis elle riait surprise par la créativité et la bêtise de ces jeunes garçons en perte de repères qui glissaient doucement vers le fanatisme. Chaque jour, devant le journal télévisé, nous avions peur d'apprendre que de nouveaux actes terroristes avaient eu lieu en Algérie. Chaque jour, nous étions inquiets pour l'autre partie de notre famille restée en Kabylie et nous espérions que ces barbares ne les atteignent pas. Nous avions quitté l'Algérie pour fuir la terreur et voici que de petits idiots, nés en France, rêvaient d'une société où la charia serait la loi et le djihad l'aboutissement d'une vie…

Ces comportements et cette pression religieuse ne devraient pas exister au sein d'un lycée en France. Mais, au nom d'un certain relativisme culturel et à cause de la peur de passer pour racistes, les professeurs et l'administration ont préféré devenir les complices des extrémistes religieux au sein même de l'école.

Ils n'ont pas réussi à me convertir : j'avais déjà des convictions fortes, un goût pour les débats contradictoires et une telle endurance que je les ai fatigués... Ils ont abandonné leur tentative de « conversion ». Ils avaient déjà une autre cible.

Et pendant ce temps-là en Algérie…

À la fin des années 1980, l'Algérie était secouée par des mouvements de contestation. Le ras-le-bol était général, la pénurie partout. Je me souviens qu'il fallait faire la queue pour acheter une baguette, du savon ou du lait. Les supermarchés étaient vides. Il fallait du « piston » et « des connaissances » pour obtenir la moindre chose, la corruption était présente à tous les niveaux. Chaque jour les Algériens protestaient dans des manifestations de rue dont le gouvernement n'avait que faire. Le 5 octobre 1988, elles ont été très sévèrement réprimées. Le bilan fut lourd, on comptait des centaines de morts et de disparus. Il fallait partir rapidement.

Après une nuit à Alger dans un petit appartement d'un lointain cousin, nous prenions l'avion pour la France. Un aller simple Alger-Lille, le 8 novembre 1989. En Algérie, la situation empirait. Les élections législatives avaient été précipitées. Les islamistes, très organisés, avaient créé un nouveau parti politique, le Front islamique du salut (FIS) arrivé en tête au premier tour. Stupéfaction et angoisse. Déjà un Front... En France comme en Algérie, les politiques sont toujours stupéfaits quand ils voient les extrémistes arriver au pouvoir, pourtant ils sont ceux qui créent les conditions de leur arrivée. Le FIS promettait la mise en place de la charia et une épuration de l'administration algérienne... Le « tous pourris » fonctionne toujours. Une décision radicale et salutaire fut prise par l'armée : l'annulation de ces élections, qui auraient porté, à coup sûr, les islamistes au pouvoir et transformé l'Algérie en Afghanistan. Les principaux leaders furent emprisonnés, d'autres prirent la fuite vers l'Europe ou les États-Unis, et l'état d'urgence fut décrété. Beaucoup de membres du FIS prirent le maquis. Ils avaient depuis longtemps anticipé cette situation en cachant des stocks de vivres, de médicaments et d'armes. Le FIS est devenu ensuite le GIA, Groupe islamique armé, un commando de la mort qui avait pour exemple les talibans afghans. Il était en guerre contre l'Occident, les religions, les races, le monde moderne, la raison, la culture. Des bataillons d'Attila déferlaient sur les villes et les villages d'Algérie pour enlever, violer, trancher les gorges. Le bilan de ces dix années de guerre fut terrible, plus de deux cent mille morts.

En janvier 1991, l'Algérie entra durablement dans une guerre civile qui allait durer douze années. Nous avions passé nos vacances d'été dans mon village, les conversations ne portaient que sur les terroristes. Pour la première fois, il nous était interdit de partir à l'aventure dans les champs... Les parents craignaient que les terroristes n'enlèvent leur enfant, ne réclament une rançon, ou, pire, de le retrouver mort égorgé. L'ambiance était celle que l'on trouve dans ces films qui évoquent la vie des villages du sud de la France pendant l'Occupation. On ne parle pas trop, on ne sait pas qui pense quoi, et qui soutient les terroristes. La peur était tellement grande que la récolte des olives a été abandonnée durant des années. Pour les terroristes du GIA, inspirés par leurs « frères » talibans, la terreur était la règle. Qu'importe qu'il s'agisse d'innocents, de femmes, d'enfants, ou de vieillards. Leur vision de la parole de « Dieu » devait s'imposer par la peur et le sang.

Les Algériens vivaient donc dans la peur et la paranoïa. Les intellectuels étaient pourchassés, condamnés au mieux à un exil forcé et précaire en France, en Suisse, ou au Canada, au pire à la mort. Les démocrates, les laïcs étaient les uns après les autres assassinés. Inlassablement, les journaux de 20 heures de mon enfance ouvraient sur l'annonce de l'assassinat d'un journaliste algérien, d'un chanteur comme Matoub Lounès, d'un attentat ou la tuerie d'innocents. L'Algérie était-elle un pays maudit ? Pourquoi ce fléau ? Pourquoi cette haine de tout ce qui symbolise la réflexion critique ? L'esprit et la raison devaient mourir pour laisser place à l'obscurantisme. Le dicton de Tahar Djaout (journaliste assassiné le 26 mai 1993), « Si tu parles, tu meurs. Si tu te tais, tu meurs. Alors, dis et meurs », a été suivi à la lettre par de nombreux journalistes algériens. Il n'était pas question de se taire face à la barbarie. Il fallait la dénoncer, la crier et tenter de réveiller la communauté internationale… plongée dans un profond silence.

L'Algérie se trouva seule, dans un huis clos macabre, où des artistes, des universitaires, des commerçants, des politiques, des médecins, et de simples citoyens étaient égorgés chaque jour par des hordes de sauvages exaltés par l'odeur du sang et tout cela « Au nom de Dieu ». Dieu et le Coran étaient pris en otage pour justifier leurs crimes. Plus d'une centaine de journalistes ont été assassinés. Ces gardiens de la liberté d'expression, ces éveilleurs de conscience, porteurs de lumière, ont bravé les intégristes. Le sens du devoir, la dignité et le courage les guidaient. Ils ont payé le prix fort. Ils étaient musulmans, mais cela ne comptait pas pour les fous de Dieu.

La vie des femmes durant ces dix années a été un enfer. Ma tante Djamila, avec une pudeur propre aux femmes qui ont connu la souffrance, me racontait les protections qu'elle devait prendre pour ne pas avoir d'ennuis. Toujours regarder partout, devant, derrière soi pour ne pas être suivie, anticiper, ne jamais parler politique, faire comme si on n'avait pas vu, ne se mêler de rien, ne jamais donner son avis, s'habiller de manière quelconque… « Jamais je n'ai accepté de porter leur voile ! Plutôt mourir ! » me disait-elle le menton haut et le regard déterminé de la résistante. Les femmes algériennes ont souffert. Elles devaient se couvrir, arrêter d'étudier et de travailler. Pourtant, elles résistaient fières et fortes. Beaucoup de femmes ont été enlevées, nombreuses ont été celles – souvent jeunes – qui ont été violées, se retrouvant à porter l'enfant du criminel qui avait brisé leur vie. Ce châtiment est une arme de guerre largement utilisée… plus cruelle encore quand on sait que dans les pays musulmans préserver sa virginité jusqu'au mariage est impératif pour une femme. D'autres ont été enlevées, sans qu'on retrouve leurs corps, d'autres égorgées. Égorgées, ce mot revenait sans cesse dans les journaux télévisés. J'en ai fait des cauchemars. J'avais peur pour ma grand-mère Aïni, elle avait déjà eu son lot de malheurs. Veuve en pleine guerre d'Algérie avec six jeunes enfants, elle avait réussi à résister aux hommes du village qui voulaient lui voler ses terres et ses biens parce qu'elle n'était qu'une femme. Mais, dans les années 1990, elle était seule, âgée et je craignais que par malchance ces bouchers ne passent par chez elle et n'en fassent une victime.

Le bilan de ces douze années est terrifiant, un peu plus de deux cent mille morts, des milliers de disparus, des centaines de villages détruits, des familles condamnées au déracinement, des blessures morales irréparables, des générations sacrifiées, une économie plongée dans le marasme, et l'image de l'Algérie et des Algériens définitivement ternie aux yeux du monde.

La laïcité est l'un des principes républicains les plus importants. C'est une digue… Mais qui risque toujours de céder... Par aveuglement ou par lâcheté, les dirigeants algériens ont laissé les islamistes pénétrer la société et le réveil fut tragique. Aujourd'hui les signaux sont identiques en France, mais quel républicain osera le dire et agir ?

Linda

Linda avait dix-huit ans. Elle avait deux frères et une sœur et des parents en instance de divorce. Elle vivait dans un quartier difficile. Elle rêvait d'être journaliste et de vivre à Londres. Son histoire avait effrayé beaucoup de personnes, qui ne comprenaient pas ce nouveau phénomène qui, aujourd'hui, est devenu assez banal mais qui demeure toujours aussi déstabilisant et dangereux pour les familles. Dans les quartiers-ghettos, une nouvelle mode est apparue : l'adoption d'un mode de vie conforme aux exigences d'un islam radical… Qui va jusqu'à prôner le djihad contre les infidèles. Linda fait partie des premières victimes roubaisiennes de ce phénomène. La vie l'a engloutie.

Durant deux ans, elle a vécu en apnée. Elle tente aujourd'hui de se reconstruire alourdie par les regrets et le poids des responsabilités.

Tout a basculé pour Linda lors de son voyage à Paris. Linda y avait passé un été chez une amie de la famille. Elle voulait découvrir la Sorbonne, le Louvre, et cette vie parisienne dont elle avait tellement entendu parler par ses cousines, ses amies et dans les films. Ce voyage, c'était sa récompense après des mois de travail pour obtenir son passeport pour la liberté : le baccalauréat. Elle pouvait enfin s'envoler loin de ce Roubaix qui étouffe et décourage les plus vaillants. Elle allait enfin respirer en quittant ce quartier dévasté par la pauvreté des esprits et des portefeuilles. Dans son quartier seuls les « chibanis » (les anciens) avaient encore du bon sens et de la conversation. Arrivée à Paris, elle a dévoré la ville, elle a tout vu, tout visité. Le soir, avec enthousiasme et excitation, elle racontait ses premières journées et ses découvertes parisiennes à sa mère. Elle avait même pour projet d'étudier à Paris et de s'y installer. Au bout de quelques jours, elle a rencontré un garçon charmant, originaire d'Évry, qui lui a proposé de l'accompagner dans ses pérégrinations quotidiennes. Ils étaient d'abord amis, puis leur complicité a laissé rapidement la place à des sentiments bien plus forts…

Linda avait eu un coup de foudre pour ce jeune homme de vingt-cinq ans, déjà si sage. Elle aimait son regard serein et fort. Il lui donnait l'impression qu'il pouvait déplacer des montagnes. Elle a découvert Paris avec lui, elle voulait découvrir la vie avec lui. C'était désormais son guide. Un jour, il lui a expliqué qu'il devait bientôt se rendre en Égypte pour étudier le Coran dans une école coranique, une madrasa au Caire. Il partirait pour un an, il ne pourrait plus continuer à la voir car flirter n'était pas autorisé par Dieu. Il devait se purifier avant son voyage. Linda est restée pendant dix jours sans aucune nouvelle de lui. Il ne répondait à aucun appel, aucun sms, aucun e-mail… Au bout de ces dix jours Linda était convaincue qu'il était l'homme de sa vie. Elle n'en avait parlé à personne, même pas à sa mère car on ne parle pas de ces choses dans sa famille. À l'issue de sa retraite spirituelle, il a appelé pour lui faire une proposition. Il pouvait continuer à vivre cette histoire d'amour mais il fallait la régulariser en passant devant un imam. Elle pourrait ensuite le suivre au Caire si elle le souhaitait. Le temps pressait, le départ pour Le Caire approchait, il avait besoin de la réponse de Linda immédiatement.

Elle a accepté et l'a retrouvé dès le lendemain à Évry pour rencontrer l'imam, la famille, et procéder à cette bénédiction religieuse. En réalité, c'était bien plus qu'une bénédiction, il s'agissait d'un véritable mariage religieux auquel Linda consentait sans qu'elle eût le temps d'en parler à qui que ce soit. Une fois le mariage conclu, elle était à présent une femme mariée, elle était ainsi tenue d'obéir à son mari dont elle était la propriété. Linda le hérisson était devenue un petit lapin docile. Obéissance oblige, elle s'est retrouvée à porter la burqa pour ne pas « humilier » son mari dans la cité, puis de nombreuses autres règles de vie ont suivi... Comme l'obligation de vivre chez ses beaux-parents, dans cette horrible tour d'une cité de Mantes pendant trois mois, en attendant de retrouver son mari au Caire.

Elle décida d'annoncer sa décision à ses parents à la fin du mois d'août. Elle se présenta chez ses parents, sans les avertir de son changement de vie. Elle portait une alliance et un drap noir qui recouvrait sa tête et tout son corps. Je dis un drap noir car à cette époque sa mère, pourtant musulmane ayant grandi en Algérie, ne savait pas ce qu'était la burqa. À la vue de sa fille, qu'elle eut du mal à reconnaître en ouvrant la porte, la mère de Linda perdit connaissance et passa dix jours à l'hôpital. Le choc était aussi grand que la joie et l'empressement qu'elle avait de retrouver sa chère fille après cette première séparation. Elle n'avait rien vu venir. Elle qui était si fière de sa fille aînée qui avait réussi le bac et allait faire sa rentrée à l'université. Elle était la première de cette famille à être bachelière. Sa mère avait même organisé une fête pour célébrer l'obtention de son bac et comme cadeau elle avait autorisé sa fille à passer l'été à Paris. Désormais elle le regrettait. Linda avait décidé de renoncer à l'université pour accompagner au Caire son mari. Là-bas, elle aussi étudierait le Coran. Toute sa famille tenta de lui ouvrir les yeux, de lui faire gagner raison… Mais « Dieu a décidé… » disait-elle.

Son retour à Roubaix fut donc un choc pour toute sa famille, son père ne comprenait pas, sa mère tomba malade. Le malheur s'était abattu sur cette famille, et il se présentait « au nom de Dieu ». Ses parents se disaient prêts à gérer n'importe quelle situation mais, là, leur fille avait fait fort. Ils n'étaient plus sur la même planète et ne parlaient plus la même langue. Des amis de la famille, âgés et respectés de tous pour leur sagesse, des imams prêchant un islam simple, serein et non ostentatoire, avaient été invités à discuter avec elle mais personne ne réussit à la convaincre de renoncer à ses projets. Linda semblait envoûtée, sereine et décidée. Elle avait exigé avant son départ, en échange de coups de téléphone réguliers, d'organiser chez ses parents une soirée pour célébrer son mariage… Un chantage auquel ses parents ont cédé. Les participants me racontèrent une soirée des plus austères… Pas de musique, les femmes dans une pièce, les hommes dans l'autre, interdiction de se saluer entre personnes de sexe opposé, pas de danse… et une famille dévastée.

Linda a rejoint son mari au Caire, elle y a passé deux années. Elle a suivi les cours de l'école coranique, observé une vie des plus contraignantes et austères ; toujours au service de son mari et sans aucune possibilité de se déplacer. Elle était toujours observée, vivait emprisonnée au sein d'une communauté d'islamistes. Elle attendait son premier enfant. Une fille est née et les projets de son mari, qui s'était encore plus radicalisé, ne convenaient pas à Linda qui se gardait bien de le lui dire. Lors d'une visite estivale chez ses parents, elle avait fait part de ses doutes à sa mère qui lui proposa immédiatement son aide. Le père de Linda, informé de la situation, décida d'agir en proposant à sa fille de fuir cette prison. Pour cela il fallait la cacher durant plusieurs semaines. Il confia

Linda et sa fille à un de ses amis qui vivait en Belgique. Linda avait déjà quitté son accoutrement et redécouvert sa garde-robe. Elle craignait la honte de la jeune fille divorcée et avec un enfant. Qui voudrait d'elle maintenant ? Ses parents l'avaient rassurée en relativisant la situation, après tout elle ne s'était mariée que religieusement, par un imam sot, dont elle ne connaissait même pas le nom. D'ailleurs, elle n'avait jamais porté de robe blanche ou célébré dignement ce mariage. Et puis elle n'était plus seule. Si elle avait perdu deux ans, elle ne devait pas en perdre davantage ou prendre le risque de compromettre l'avenir de sa fille. Sa belle-famille et son mari sont rapidement arrivés à Roubaix pour exiger le retour de Linda. Menaçants, ils avaient reçu la lettre dans laquelle elle informait son mari de sa décision de rompre ce simulacre de mariage. Elle rompait également avec cette conception radicale de la religion et indiquait qu'elle ne permettrait ni au père ni à la belle-famille de lui rendre visite. Elle rompait avec ce panurgisme spirituel et cet esclavagisme qui se prétend « au nom de Dieu ». Elle reprenait sa vie en main, elle s'était égarée deux années, mais sa fille lui permit de se retrouver. Le père retourna au Caire refaire sa vie. Il refusait de pactiser avec une infidèle.

Linda a eu de la chance, aujourd'hui elle travaille et a repris ses études. Elle est entourée.

Chaque jour, l'actualité nous l'apprend, ce n'est plus l'Égypte qui est la destination phare, mais la Syrie. Les islamistes sont passés à la vitesse supérieure et font exploser les compteurs du recrutement au djihad de petits Français, de Belges, de Britanniques ou d'Allemands. *Libération* dans son édition du 28 décembre 2013 relate l'histoire de Meriem, divorcée à cause de la radicalisation religieuse de son mari. Elle est la mère de la petite Assia enlevée le 14 octobre 2013 par son père. D'abord installé en Turquie, il demande à Meriem de venir rejoindre un groupe djihadiste avec lui. Il lui parle de ses liens avec al-Qaida. Il lui suggère de quitter la France, « pays de mécréants », pour être à ses côtés. Meriem n'a pas cédé au chantage mais elle le paie cher car depuis elle n'a pas de nouvelles de sa fille et ne sait pas où elle se trouve.

Ce qui fait le plus de mal aux musulmans de France, ce sont les musulmans radicaux, les islamistes, les provocateurs de la République. L'islam, à l'inverse des autres religions, ne possède pas de clergé, et c'est en partie une des causes de ses dérives et d'une forme d'archaïsme. Chacun peut interpréter les textes comme il l'entend. Différentes écoles existent et sont plutôt antagonistes. J'en vois deux majeures en France, celle qui enseigne un islam tolérant, respectueux, moderne et qui exige de respecter en priorité les lois du pays de résidence. C'est l'islam de Dalil Boubakeur, recteur de la Mosquée de Paris, sage, éclairé et républicain. C'est un islam qui invite à un amour de la science, du savoir et de l'esprit critique. « Cherchez le savoir jusqu'en Chine », disait le Prophète. Cet islam, c'est celui des parents et grands-parents et d'une majorité silencieuse des musulmans de France. Et puis il y a une autre école, qui confond la foi et la loi. Elle enseigne l'islamisme fanatique, rétrograde et contraignant. Elle fait du djihad contre les infidèles un devoir. Elle justifie le djihad et la haine des juifs par le verset dans lequel Allah ordonne à Mohammed de mener le djihad contre les hypocrites, les infidèles et d'être durs à leur égard. Elle rappelle également l'extermination de la tribu juive des Banu Qurayza sur ordre de Mohammed. Cet islamisme, malheureusement, progresse en France sournoisement. Il s'installe dans les esprits, les cœurs et les familles qui jusque-là étaient sans problème. Cet islamisme se nourrit de frustrations, d'aigreurs et d'envies. La crise économique, la précarité, le manque d'emplois développent les frustrations. Cet islam est ostentatoire, bruyant, oppressant, haineux.

Les musulmans modérés, par leur silence, se rendent complices de ces dérives, et participent malgré eux à l'amalgame qui est le pire des préjudices pour les centaines de milliers de musulmans sereins, républicains et laïcs ; l'amalgame entre l'islam respectable et l'islamisme qui instrumentalise la religion. Cet amalgame qui produit de la discrimination, de la défiance, du racisme… Cet amalgame est une aubaine pour les islamistes qui n'auront plus qu'à récupérer les enfants discriminés et les transformer en Mohammed Merah.

Les musulmans de France, de tous les quartiers, doivent dire leur rejet de cette instrumentalisation de leur religion par les mouvements islamistes. Pourquoi ne se réunissent-ils pas, pour proclamer de manière solennelle, d'une seule voix audible et relayée par la presse, leur désaccord, leur opposition farouche à tous ces fanatiques ? Cette manifestation serait salutaire pour les musulmans de France mais également pour la République.

« Soyez réalistes, orientez-vous vers les filières techniques… »

Mon lycée était le « bon lycée » de Roubaix. Il jouissait d'une excellente réputation, il y avait des classes européennes et uniquement des filières générales. Il était situé dans le quartier chic de Barbieux en face du parc portant le même nom. Nous étions à la frontière de la ville de Croix, deuxième ville de France pour les foyers soumis à l'impôt sur la fortune. Les élèves qui fréquentaient le lycée étaient majoritairement français « canal historique » et plutôt bcbg… vivant du côté de Roubaix-Barbieux ou de Croix. Dans de nombreuses villes de France, beaucoup de parents – même ceux issus des minorités – jugent de la qualité d'un établissement par le profil des élèves.

Ainsi, pour beaucoup de parents, plus il y a d'enfants d'immigrés dans un établissement scolaire, plus le niveau est faible.

Au lycée, l'objectif était de maintenir la réputation et les résultats de l'établissement. Pour cela, il convenait de faire passer majoritairement les enfants issus de « l'immigration visible » vers l'autre lycée qui proposait des filières technologiques, des BEP et des BTS. Dans l'esprit de certains professeurs, ces filières seraient plus adaptées à ces enfants... Il régnait ainsi une forme de ségrégation. Je me souviens de mon premier jour de classe en seconde. J'ai rapidement compris que j'avais atterri dans la classe de ceux qui étaient destinés à ne pas faire plus d'une année là. C'était la classe des Arabes et des Noirs. Seules deux ou trois « Blanches » en faisaient partie. C'étaient pour la plupart des élèves très moyens, chahuteurs, mais qui avaient compris comment intégrer ce lycée. Ils avaient pris l'option théâtre que seul cet établissement proposait. Le proviseur n'avait pas eu le choix, il était coincé et devait les accepter. Certains professeurs nous avaient fait comprendre que nous étions des erreurs de casting et qu'il fallait rapidement songer à préparer notre orientation vers une filière technique. Autrement dit, nous préparer à rejoindre le lycée moins bien fréquenté, moins réputé. À peine rentrés au lycée, nous étions priés de préparer notre sortie, car nous devions « être réalistes », disaient-ils.

Je me souviens de mon premier cours d'économie en seconde et je me demande encore comment cette matière est devenue ma favorite tant mes premières expériences en cours ont été humiliantes et douloureuses. L'enseignant avait décidé d'installer les élèves de ma classe sur le coin gauche de la salle et les élèves de la classe européenne sur la droite. Une fois la classe installée, il nous a ouvertement tourné le dos durant tout le cours. À quinze ans, nous avons découvert l'économie en ne voyant que le dos de ce professeur dont j'ai préféré oublier le nom. Il nous était impossible de l'interroger, impossible d'intervenir, il ne nous voyait pas, pire, il ne voulait pas nous entendre. Parfois, nous osions un « je n'ai pas compris », pour seule réponse nous avions droit à des remontrances et des menaces de punition !

La ségrégation durant ce cours était flagrante. D'un côté les huit élèves aux noms à consonances étrangères, de l'autre les prénoms composés et le carré blond pour les filles. Nous vivions ces cours comme des moments d'humiliation. Nous étions considérés comme de petits sauvages. J'ai haï ce professeur. Je pleurais en rentrant du lycée. Pourquoi être traité de cette manière ? Nous ne voulions qu'étudier, comprendre, progresser. Pourquoi eux avaient le droit et pas nous ? Des pleurs, je suis passée à la révolte. Je réagis souvent en deux temps. J'avais décidé de sauver l'honneur de mon groupe. Nous devions être meilleurs. J'apprenais chaque leçon, je notais scrupuleusement les éléments que je ne comprenais pas sur un petit cahier pour y revenir le soir. En rentrant, je décortiquais mon livre, les encyclopédies et j'interrogeais mon père pour être sûre d'avoir bien compris. Je lui récitais mes leçons et lui demandais de m'interroger en me tendant quelques pièges. Je voulais être prête car ce professeur était tordu et aimait nous humilier.

Au même moment j'achevais un livre sur Rosa Parks, cette militante pour les droits civiques des Noirs américains. J'avais été marquée par son courage et je trouvais qu'il y avait dans l'organisation de notre classe d'économie quelque chose de semblable à celle de ce bus. Elle avait refusé de s'asseoir à la place réservée aux Noirs. J'ai décidé d'en faire autant. Je refuserais de m'asseoir du côté gauche de cette classe.

Souriante et tête haute, je me suis installée au premier rang au centre de la classe face au bureau de ce professeur. Les élèves de ma classe avaient peur pour moi car il était capable de grandes colères. Il m'a dit de changer de place pour rejoindre mes camarades car j'étais sur une place réservée aux élèves de la classe européenne. J'ai refusé. Je lui ai dit que j'aimais l'économie, que j'avais beaucoup d'intérêt pour cette matière, que j'avais déjà trop vu son dos et que je souhaitais poursuivre le reste de l'année en voyant son visage. Il m'avait menacé de punition, je lui avais répondu que l'on ne sanctionne pas une élève qui veut étudier et qui s'installe au premier rang. Je tremblais en lui tenant tête poliment mais fermement. C'était un exploit pour la jeune fille timide et réservée que j'étais.

Évidemment, j'ai eu droit à une punition pour désobéissance et insolence. Mon père refusa cette punition et demanda un rendez-vous pour mettre fin à cette situation. Après cela, nous avons enfin eu le droit de nous mélanger et d'être des élèves comme les autres.

CPE ou conseiller de désorientation ?

Un parcours scolaire pour un enfant issu de l'immigration n'est pas une partie de plaisir. Il faut bien travailler certes, mais il faut rester vigilant à chaque étape de son orientation. Très tôt, il faut se renseigner et savoir ce que l'on veut afin d'éviter la « désorientation » des conseillers principaux d'éducation. Le CPE, quand on est un élève issu de l'immigration, c'est LA personne à éviter. Si on l'écoute, on est envoyé vers une voie sans ambition, sans issue, mais il est content car on l'a écouté. Si on ne l'écoute pas, il vous pourrit la vie et vous décrit comme un élève prétentieux qui se cassera la figure. Au lycée, je détestais ma CPE, elle était issue de l'immigration et au début j'imaginais de la compréhension et de la bienveillance de sa part, mais elle fut décevante... Elle prenait les élèves de haut car, elle, elle savait, et nos parents étaient forcément des illettrés... Décidément les préjugés n'ont pas de couleur, de race ou de religion !

Lors des entretiens d'orientation avec ma chère conseillère, si j'osais prononcer les mots « prépa », « école de commerce », « Sciences Po », elle s'empressait de me dire qu'il me fallait redescendre sur terre car ce n'était pas pour moi ! Alors que j'avais les résultats qui me permettaient d'intégrer une prépa ! J'avais donc entamé mes démarches seule, sans l'informer. Quand elle l'a su, elle avait été très en colère : « Tu n'écoutes rien ! Ça ne se fait pas ! » Pourtant oui, ça se fait... La preuve, ça a fonctionné !

Lorsqu'on est bon élève, on n'a pas besoin du CPE qui souvent ne connaît pas toutes les filières et parfois pratique la censure. Quand on est mauvais, on n'en a pas besoin non plus car l'on n'est pas en mesure de choisir. Mais lorsqu'on est moyen, il est préférable de l'éviter car il enverra systématiquement vers la pire filière, celle qui manque d'élèves et que le rectorat souhaite remplir afin de maintenir des classes.

J'aurais pu devenir amère et rejeter l'école de la République qui trompait les enfants d'immigrés. Cette école de la République est souvent rongée par le déterminisme social et ne propose que des voies directes vers Pôle emploi. Cela aurait fait de moi une ingrate vis-à-vis du sacrifice de mes parents et de la générosité de la République. Mais j'en veux à ceux qui avec leur cynisme, parfois leur cruauté, quelques professeurs et CPE, ont poussé des milliers de jeunes chaque année vers des voies sans issue.

Finalement, le corps enseignant a les mêmes caractéristiques que n'importe quel autre groupe : il y a de bons et de mauvais éléments. J'ai rencontré des professeurs exceptionnels, de vrais humanistes qui croyaient en la mission de l'école républicaine. D'autres détestables, aigris et partisans de ce déterminisme social qui veut que « chacun reste à sa place ». Mais les professeurs et les conseillers ne peuvent pas tout. La famille et la volonté de l'élève jouent un rôle prépondérant. J'ai poursuivi mes études hantée par la phrase-sentence de ma conseillère d'orientation : « Ce n'est pas pour toi !... » J'ai beaucoup douté, paralysée par le sentiment de ne pas être « légitime ». En dépit de tout cela, je suis parvenue à être diplômée de l'université que je convoitais puis j'ai poursuivi dans la grande école dont je rêvais plus jeune. À chaque pas, je me faisais violence pour avancer. Mais sans le soutien indéfectible de mes parents, sans leurs mots toujours justes, je n'aurais jamais pu dépasser ces doutes.

Une société de décrocheurs

La place des parents dans l'éducation des enfants est centrale. Elle l'est encore plus lorsqu'il s'agit de familles évoluant dans des quartiers difficiles et issues de l'immigration. Je suis convaincue que la différence entre les enfants issus de quartiers difficiles qui s'en sortent et ceux qui glissent vers la délinquance se fait en fonction de l'implication des parents. Des parents présents et investis sont les meilleurs garants de la réussite scolaire des enfants et de leur future mobilité sociale.

Nous sommes dans une société de décrocheurs.

Les professeurs décrochent, fatigués par le manque de respect et la violence des élèves, le manque de reconnaissance de la société, le déclassement social.

Ils sont frustrés de devoir éduquer – pour combler les manquements des parents – au lieu d'instruire. Épuisés, ils sont devenus de mauvais enseignants, des décrocheurs de l'Éducation nationale. J'ai toujours été étonnée par ces élèves très jeunes qui ne craignaient aucune sanction. Il y a de quoi rebuter le plus motivé des jeunes enseignants. L'Éducation nationale a le chic pour envoyer directement dans l'enfer des classes de ZEP les moins expérimentés de ses agents. Aussi, il n'est pas étonnant que le taux de dépression, d'absentéisme et de démission soit l'un des plus importants de la fonction publique.

Les élèves décrochent car, selon eux, les diplômes ne servent à rien, les sanctions n'existent pas et parce qu'il y aura toujours une belle âme pour leur trouver des excuses…

Les parents décrochent aussi, dépassés par des enfants toujours plus précoces, ou absorbés par un travail éreintant, ou par pur laxisme et bêtise.

« Laisse pas traîner ton fils, si tu ne veux pas qu'il glisse, qu'il te ramène du vice », chantait NTM. Quand les parents décrochent, les enfants aussi et les dispositifs d'égalité des chances comme l'« école de la seconde chance » n'y pourront rien. D'ailleurs une étude récente démontre à quel point les résultats de ces dispositifs sont faibles et ne permettent pas de « récupérer » ces enfants.

Souvent, je me dis qu'il faudrait un permis pour devenir parents, tant je suis atterrée par le comportement de certains d'entre eux avec leurs enfants. Quel modèle et quelles valeurs peuvent bien transmettre des parents irresponsables et immatures à des enfants ? Nous devrions sanctionner les parents qui ne respectent pas leurs enfants. Le rôle du parent n'est pas d'être l'ami mais d'être celui qui aime, qui éduque, le modèle à suivre ou à dépasser.

Dans les banlieues, beaucoup de parents sont devenus des « décrocheurs ». Être parents, c'est une forme de condamnation à perpétuité. Une responsabilité vis-à-vis de ses enfants. C'est aussi un engagement que l'on prend envers la société : celui de faire de ses enfants des personnes capables d'évoluer en société, de s'adapter. Le rôle des parents est de donner les bons codes aux enfants, qu'importe le milieu social. Un enfant de mineurs dans les années 1950 savait qu'il fallait dire bonjour en entrant dans une pièce, être respectueux du professeur et des adultes, qu'il devait s'habiller correctement pour un entretien d'embauche et arriver à l'heure… Ce sont les règles de base de l'éducation. Le rôle des parents est de transmettre ces règles. Le rôle de l'enseignant est d'instruire : lecture, écriture, calcul, histoire… afin de former des citoyens éclairés. Aujourd'hui trop de parents comptent sur l'enseignant pour éduquer leur enfant. Ce n'est évidemment pas son rôle. C'est autant de temps perdu pour l'enseignement et la transmission des savoirs essentiels. Il ne faut pas s'étonner d'avoir un tiers des élèves qui entrent en 6e avec des difficultés en lecture, écriture et calcul…

Alors que faire ? Mettre en place une école des parents ? Pourquoi pas ! Donner quelques bases et règles d'éducation à des parents qui ne connaissent pas eux-même les fondamentaux de l'éducation des enfants serait salutaire. Un séminaire quelques jours avant la rentrée dans les écoles des quartiers difficiles pourrait favoriser l'investissement des parents dans l'éducation de leurs enfants et les responsabiliser. Il faudrait également permettre aux parents analphabètes de prendre des cours de lecture afin qu'ils aient les moyens de suivre l'évolution de leur enfant, sans être dépendants de ce dernier qui peut arranger la réalité pour les rassurer et éviter les punitions.

Le retour à l'autorité et au respect des professeurs passe également par une distance entre l'élève et le professeur. Il faut de manière urgente commencer à rétablir le vouvoiement avec les représentants du corps enseignant et les surveillants. Je ne comprends pas la nonchalance et la proximité de certains professeurs avec leurs élèves, allant parfois jusqu'à utiliser des mots en verlan ou en argot « pour être mieux compris » dans les établissements de quartiers difficiles. Le vocabulaire doit être le même dans tous les établissements de la République. En plus du vouvoiement, il me semble qu'une tenue décente doit être observée par les professeurs. Ainsi le T-shirt ou le short sont à prohiber si l'on souhaite être respecté et écouté par des élèves difficiles en demande de repères et d'autorité. Le retour de l'estrade dans les salles de classe serait aussi un outil favorisant le respect et l'autorité du professeur qu'il serait bon de rétablir.

Par ailleurs, je suis favorable à l'instauration de l'uniforme ou de la blouse de la maternelle au lycée, que beaucoup de familles souhaitent, ne serait-ce que pour des raisons économiques. Cet uniforme est à mon sens une protection de l'enfant et le symbole de la sacralisation de l'école et du temps dédié à l'instruction. Comme l'on met son costume pour aller travailler, on enfile son uniforme pour s'instruire, protégé des pressions de la société, de la mode, et sur un pied d'égalité avec les autres. Ces dispositifs seraient salutaires pour éviter le décrochage et rétablir une école sanctuaire et respectée. Toutefois, je pense qu'il faut aller plus loin et ne pas craindre de sanctionner de manière forte et exemplaire les cas les plus difficiles. Sans sanction, les règles perdent toute leur force. Aussi, je considère qu'il faut sanctionner les parents dont les enfants sont perturbateurs, violents et au taux d'absentéisme élevé. Après plusieurs avertissements, la sanction doit être financière. Je suis favorable à ce qu'une partie des allocations familiales soient suspendues pour les familles dont l'un des enfants pose des difficultés à l'école ou est absent. Cette suspension serait levée si l'enfant retrouvait un bon comportement. Dans les quartiers, une famille peut gâcher la vie de toutes les autres. Ainsi, les familles qui posent problème et occupent un logement social devraient également être inquiétées. Ce logement pourrait être retiré en cas de plaintes répétées, de faits de nuisances ou de délinquance avérés. Il y a une pénurie de logements sociaux en France et de nombreuses familles, souvent monoparentales, sont obligées de s'entasser dans de minuscules surfaces, parfois insalubres. Je suis pour la méritocratie et la justice sociale dans l'attribution des logements sociaux. Il faut favoriser les familles qui le méritent et retirer le bail aux familles de délinquants.

Roubaix, une ville qui s'enlise dans le communautarisme

Après mon bac, ma famille est partie vivre dans le Sud-Ouest, près de Bordeaux. Nous avons passé dix ans dans la belle région Aquitaine. La douceur de vivre du Sud-Ouest… loin des préoccupations communautaristes. À dix-sept ans, je découvrais la vie d'étudiante à Bordeaux, la vie dans un studio, et la solitude… Un nouveau monde, une nouvelle France. De Roubaix la populaire et bruyante, je passais à Bordeaux la bourgeoise, la belle endormie… Là-bas, je me sentais insouciante, loin des pressions. J'étais libre d'être et de devenir qui je voulais. Ce sentiment ne m'a jamais quittée depuis.

Malheureusement, pour des raisons professionnelles, mes parents ont été dans l'obligation de rentrer dans le nord de la France. De retour dans la ville « au mille cheminées », dix ans après l'avoir quittée, je leur ai rendu visite. Ce fut le choc des civilisations. Roubaix était devenue méconnaissable. Le communautarisme avait tout envahi. C'était une sorte de « bled » importé dans le nord de la France.

Incroyable changement. Le supermarché du quartier de l'Épeule était devenu Le Triangle, un Halal Market, les boulangeries, des points chauds où une femme en hidjab vous dit bonjour et vous interroge en arabe... Les boucheries, charcuteries, poissonneries, buralistes avaient disparu, pour laisser la place à des taxis-phones, des kebabs, des librairies religieuses et des magasins de burqas ! Le défilé des barbes, djellabas, burqas et niqabs sautait aux yeux de celui qui arrivait dans cette « ville renouvelée »... Des quartiers entiers étaient devenus des provinces étrangères où il était recommandé de parler arabe et d'être vêtu selon certains critères, surtout quand on est une femme maghrébine.

Le quartier de l'Épeule est le plus représentatif de cette évolution. Les filles de ce quartier n'ont jamais eu la vie facile. Soit elles étaient cloîtrées chez elles et rasaient les murs, soit elles devenaient des garçons manqués hyper violentes, ou des putes brutalisées à la disposition de quelques racailles du quartier. Qu'importe la voie qu'elles prenaient, c'était toujours au sacrifice de leur insouciance et de leur féminité. Je me souviens de ces filles qui me racontaient qu'elles étaient « obligées de sucer un tel pour avoir la paix » et de celles qui devaient jouer les gros bras forçant leur voix pour ressembler davantage à des garçons.

Avant, avec certaines de ces filles, sur les marches du collège, il nous arrivait parfois de discuter et de nous laisser aller à nos rêveries d'adolescentes. Nous rêvions d'être des étudiantes parisiennes en colocation, l'une journaliste, l'autre institutrice, l'une femme d'affaires, l'autre styliste... Ces filles, dix ans plus tard, je les ai croisées soit voilées, soit en burqa. Certaines avaient quitté la région sans donner de nouvelles à leur famille. Certaines se sont converties, certaines se sont mariées très tôt et ont eu des enfants, d'autres divorcées élèvent seules leurs enfants. D'autres encore attendent désespérément le mariage qui leur apportera enfin un statut...

Je les ai interrogées sur leur voile car j'ai été très surprise... Le voile ne faisait pas partie de leur projet de vie lorsque nous étions adolescentes. Pour elles, le voile était une protection contre les agressions, les regards et les remarques déplacées. Elles avaient cédé. Elles étaient fatiguées et aspiraient à vivre paisiblement. Alors s'il fallait mettre un voile pour cela ce n'est pas grand-chose finalement…

Le voile, la burqa, ce n'est pas un choix, c'est un moyen d'avoir la paix.

Le chantage est simple et insidieux : « Tu portes le voile ou on te pourrit la vie. » La multiplication du port du voile et de la burqa, c'est une multiplication d'appels au secours. Les tenants de discours relativistes ignorent la vie de ces femmes et leur réalité sociale. Nous avons un devoir vis-à-vis de ces jeunes filles devenues des femmes qui passent à côté de leur vie. Il ne faut pas céder face aux obscurantistes qui sévissent dans les banlieues. Il faut respecter ces femmes et rester fermes sur nos principes. Nous devons leur donner les moyens de s'épanouir et pour cela un dispositif législatif doit être mis en place pour définir clairement le principe de laïcité et réaffirmer notre modèle républicain. Pourquoi ne pas créer un Ministère de la laïcité ? Ce serait un signal fort envoyé aux communautaristes.

La République a abandonné ces femmes en abandonnant certains territoires à quelques caïds de la drogue et aux islamistes. Dans ces quartiers, la loi c'est par eux et pour eux. Les lois de la République ne s'appliquent pas dans ce qu'ils considèrent être leur territoire. Personne ne doit les déranger, même pas une crèche non communautaire. Ils se sont organisés pour vivre en vase clos.

La mosquée, lieu sacré, devient un lieu hostile pour le musulman modéré, qui préfère ne pas la fréquenter pour éviter d'entendre des messages de haine ou rencontrer d'anciens détenus tout juste convertis ou radicalisés pendant leur séjour en prison. Ce lieu de culte se transforme dans certains cas rapidement en lieu de transactions douteuses, d'endoctrinement et de recrutement au djihad.

Les commerces deviennent tous halal, et il serait de mauvais goût de demander un produit d'une marque soupçonnée d'appartenir à un Juif ou provenant d'Israël. En effet, des listes de produits et de marques à boycotter circulent. Elles sont distribuées dans les marchés, dans les boîtes aux lettres, par e-mail. Je me souviens qu'à la sortie du collège et du lycée quelques femmes voilées venaient distribuer des tracts avec des listes de produits et d'artistes à boycotter. Ce fut le cas lorsque Enrico Macias était venu se produire au Colisée de Roubaix. Le mot d'ordre de cette mobilisation était d'interdire la venue d'un artiste juif, pro-Israéliens et donc coupable du sort des Palestiniens... Une autre mobilisation de ce genre avait eu lieu, cette fois-ci contre Rachid Taha qui se produisait gratuitement dans le quartier de l'Alma-Gare, à proximité de la mosquée salafiste Archimède. C'était un haut lieu de l'islamisme et du terrorisme, là où le « gang de Roubaix », une bande de Chti's convertis, de retour du djihad et de Bosnie, avait préféré trouver la mort dans les flammes plutôt que de se rendre à la police en 1996. Rachid Taha était considéré comme un artiste obscène, donnant une mauvaise image aux enfants et ne respectant pas sa religion... Le concert a eu lieu malgré le boycott et les pressions.

Dans ces quartiers de Roubaix, offerts aux islamistes pour acheter la paix sociale, on ne supporte pas l'étranger. L'étranger c'est le Français « de souche », c'est aussi le Français musulman ordinaire, l'infidèle, le colla-beur, celui qui ne partage pas leur pratique de l'islam radical. Alors quand une femme, laïque, décide d'y installer une crèche comme à Chanteloup-les-Vignes, il faut la faire partir.

Halte au repli identitaire !

Nathalie Baleato, réfugiée politique chilienne, a fondé en 1991 la crèche Baby-Loup qui agite le débat public depuis 2010. Dans le quartier défavorisé de Chanteloup-les-Vignes, elle voulait offrir aux parents un mode de garde adapté aux horaires décalés et ouvert le week-end. Une crèche ouverte 24h/24 et 7j/7. C'est très rare dans les grandes villes comme Paris et encore plus dans les quartiers défavorisés.

Le quartier de Chanteloup-les-Vignes, comme beaucoup d'autres quartiers de banlieues défavorisées, a changé, les populations se sont radicalisées. Il y a cinq ans, une employée de retour de congé maternité se présente voilée et avec la ferme intention de travailler avec son voile. Mme Baleato veut que sa crèche soit un lieu où règne la neutralité religieuse, philosophique, culturelle… Un îlot loin des pressions communautaristes et du repli identitaire. Face au refus de l'employée de travailler sans son voile (qu'elle ne portait pas avant son congé maternité), Mme Baleato décide de la licencier pour non-respect du règlement. L'employée licenciée attaque pour licenciement abusif et discrimination. C'est ainsi que la vie de cette crèche et de Mme Baleato bascule dans un feuilleton judiciaire hyper médiatisé. Évidemment, ceux qui en pâtissent sont avant tout les familles, les femmes seules et les enfants de ce quartier.

L'un des épisodes marquants de cette affaire a été la décision de la Cour de cassation de mars 2013, qui donna raison à l'employée. Cette décision avait suscité une vive émotion dans l'opinion publique et chez nos représentants politiques. L'un de nos principes fondateurs, la laïcité, garantie absolue de notre cohésion nationale, avait été bousculée. Depuis, de nombreuses voix se sont élevées pour demander la réaffirmation de la laïcité, dont celle d'Élisabeth Badinter, de Jeannette Bougrab, de Valérie Toranian et de Caroline Fourest.

La laïcité est souvent écornée, et certains aiment la décrire comme un principe dérisoire, voire un principe liberticide !... Pourtant, en existe-t-il un autre qui garantisse autant l'égalité, la liberté religieuse, le respect de l'autre ? En paraphrasant Clemenceau, je dirais que la laïcité nous permet d'être un pays au service de la justice et d'un idéal avant d'être un pays au service de Dieu. Au milieu de cette cité sensible, Baby-Loup était un des maillons de la réinsertion professionnelle et sociale pour de nombreuses familles.

Le débat qui se pose derrière cette affaire est décisif. Quel modèle de société voulons-nous ? Un modèle où la communauté nationale est notre seule communauté, où ce qui nous rassemble prime sur ce qui nous divise ou l'inverse ?

Heureusement, après six ans de procédure, la Cour de cassation a confirmé le licenciement pour faute grave de la salariée. Le législateur doit aujourd'hui travailler à offrir un cadre plus clair et lisible de l'application de la laïcité dans les entreprises privées, dans les universités et dans les lieux d'accueil de public avec des missions d'intérêt général, telles que l'éducation, la justice ou la santé. Les législateurs doivent rapidement mettre en place un front républicain fort pour permettre à chaque acteur du vivre ensemble d'avancer en toute légitimité face à la montée des revendications religieuses.

La crèche Baby-Loup est le cas le plus médiatisé. De manière insidieuse, dans ces quartiers, les obscurantistes poussent au départ tous ceux qui les dérangent, ceux qui représentent notre État et ses valeurs humanistes, ceux qui symbolisent la mixité. Ces quartiers deviennent leurs territoires et ils entendent le gérer à leur guise, avec la complicité d'élus avides de voix et effrayés par d'éventuelles violences urbaines qui pourraient compromettre leur réélection.

La crèche a finalement fermé et déménagé à Conflans-Sainte-Honorine. Baby-Loup était une bouffée d'oxygène pour les familles défavorisées, souvent composées de femmes seules avec leurs enfants. Est-il nécessaire de rappeler que les familles monoparentales sont les plus touchées par la pauvreté ? Est-il nécessaire de rappeler que la garde des enfants est une des conditions du retour à l'emploi des femmes, surtout lorsqu'elles sont seules à élever leurs enfants ? Baby-Loup était une touche d'espoir pour ces familles et ces enfants, mais les obscurantistes préfèrent les replonger dans la détresse et la précarité… un terreau bien plus fertile pour faire prospérer leurs idées nauséabondes.

Saucisson, champagne et sextoys halal : gavez-vous en halal !

Roubaix s'est transformé au fil des ouvertures de commerces « halal ». C'est devenu un laboratoire de l'offre halal en France. Dans certains quartiers, comme à l'Épeule ou à Lannoy, pour ne citer qu'eux, les enseignes en arabe sont devenues majoritaires. Il y a des kebabs tous les dix mètres, des cyber-cafés « bled.com », des boutiques de prêt-à-porter de burqas et kemis, des librairies religieuses… Parfois, je m'imagine être une touriste et je me demande comment je réagirais ? D'ailleurs, une tante, venue d'Algérie pour les vacances, était tellement surprise et déçue de ce spectacle qu'elle nous avait dit : « Je n'ai pas pris l'avion pendant trois heures pour me retrouver à Bab-el-Oued ! Elle est où la France ici ? »

La « halal » concerne l'alimentation des musulmans, ce qui leur est permis de consommer. Il s'agit surtout de distinguer ce qui est autorisé de ce qui est « hâram » comme l'alcool et le porc. Ainsi, pour que la viande soit considérée comme halal, il faut que l'animal soit égorgé vivant, non étourdi, la tête tournée vers La Mecque et qu'il se vide de son sang.

L'abattage casher chez les Juifs ressemble à l'abattage halal. Mais, contrairement aux produits casher, garantis par le Consistoire central des Juifs de France, il n'existe pas en France de label halal reconnu sur l'ensemble du territoire. Trois mosquées, Paris, Lyon, Évry, sont habilitées à délivrer les cartes de sacrificateurs dans les abattoirs. Les contrôles sont ensuite effectués par de nébuleux organismes qui définissent le halal au gré des opportunités… Il y a autant de méthodes de contrôle et de définitions du halal qu'il y a d'organismes de contrôle. En 2003, lors de la création du Conseil français du culte musulman, la mission de mise en place d'une certification centralisée et unifiée était une priorité mais, depuis, rien n'a avancé. L'absence de clergé dans l'islam est une grande difficulté qui ne permet pas de donner de manière transparente et claire une ligne de pensée unique pour tous les musulmans. La multitude d'interprétations complique la compréhension de l'islam et ouvre la porte aux lectures les plus extrémistes et farfelues des textes coraniques. Ainsi, depuis quelques années, on a vu émerger une cascade de nouvelles règles alimentaires pour booster un marché prometteur. Tout doit être halal. Mais rien ne l'est vraiment, et les organismes chargés de représenter les musulmans n'ont pas la volonté de mettre de l'ordre dans ces affaires de certification. Le business est trop juteux. Le marché du halal en 2011 a représenté cinq milliards et demi d'euros dont un milliard pour la restauration. L'ensemble de la communauté musulmane est estimée à environ six millions de personnes en France, soit la plus importante d'Europe. Le potentiel de ce marché est considérable et nous comprenons ainsi l'intérêt stratégique de pousser les Français de confession musulmane vers le repli communautaire. Prendre les musulmans en otage au sein d'une communauté permet de mieux les asservir. Plus les musulmans s'enfermeront dans la communauté, plus il sera facile de les cibler par des campagnes publicitaires communautaristes. La pression communautaire et l'autocontrôle propre à tout groupe feront le reste afin de ramener les plus récalcitrants – comme les colla-beurs – vers une consommation exclusivement halal.

Le halal envahit toutes les sphères de la vie. Il faut absolument faire des musulmans des fous du halal et les étals des magasins français – selon les quartiers – se sont remplis de produits halal en tout genre. Le développement du halal démontre l'étiolement de notre modèle de société. Avant, les musulmans se contentaient d'acheter leur viande chez le boucher halal, évitaient le porc et l'alcool, et consommaient les mêmes produits que tous les autres Français. Aujourd'hui, le repli est également alimentaire. Il est recommandé de ne plus aller dans les grandes enseignes de la distribution mais de se rendre au supermarché halal.

Cette propagande installe les musulmans dans la régression sociale et culturelle afin de mieux les gaver de produits prétendus halal, mais assurément plus chers. La consommation de viande halal n'étant pas un marché suffisant, les interdits sont toujours plus importants pour accroître le chiffre d'affaires. Il faut traquer la moindre trace de protéines animales et de gélatine, très souvent à base de porc. Fini les fraises Tagada et les Pépitos pour les enfants de familles musulmanes ! Ce n'est pas halal ! L'idée est de créer une société parallèle au sein de la France. Mettre fin à la mixité, l'intégration, le vivre ensemble et la fraternité républicaine. Chacun chez soi et les parts de marchés seront bien gardées !

Il faut vivre et consommer halal et pour cela il faut exclusivement évoluer au sein de la communauté. Les produits halal en tout genre sont commercialisés, des sites de rencontre halal, des restaurants halal... Surtout il faut maintenir les musulmans dans l'aquarium halal. Le développement des restaurants japonais de sushis halal démontrent bien cette volonté de faire vivre les musulmans en vase clos. Ainsi, il ne faut plus se rendre dans un restaurant japonais pour manger des sushis mais se rendre dans un restaurant halal, tenu par des entrepreneurs de la communauté, pour manger des sushis halal. Pourtant, il me semble que le poisson ne peut pas être tué selon le rituel d'abattage musulman car, une fois sorti de l'eau, un poisson est mort, alors en quoi ces restaurants sont-ils halal ? Le riz peut-être ?...

Comment des entrepreneurs « musulmans » peuvent-ils à ce point prendre les musulmans pour des imbéciles, des vaches à lait ignorantes ? Ces entrepreneurs surfent sur la vague du communautarisme et le mal-être des musulmans, surtout des plus jeunes, pris entre deux cultures. Ils souhaitent consommer « à la française » tout en restant attachés à certaines règles alimentaires. Ils souhaitent vivre « à la française » mais sans avoir le courage de s'affranchir de ces prétendues contraintes alimentaires liées à la religion. Une dualité qui fait d'eux les cibles parfaites. Certains l'ont compris et n'hésitent pas à inventer de nouvelles contraintes alimentaires, concernant le poisson, les bonbons, les serviettes hygiéniques et le shampoing !

D'ailleurs, il existe même un champagne halal qui connaît un certain succès… C'est un champagne sans alcool évidemment. Peut-on vraiment parler de champagne pour un jus de pomme pétillant et sans alcool ? Le halal permet de faire des marges plus importantes et le prix de ce « champagne halal » n'est évidemment pas celui d'un jus de fruits. Allant plus loin encore dans l'insolite et le cynisme, certaines entreprises certifient comme halal… des sextoys… disponibles sur des sites en ligne ou des sex-shops halal !

La multiplication des interdits alimentaires, la pression de certains prêcheurs dans les mosquées, le développement de discours visant à mettre à mal le vivre ensemble, la culpabilisation de la communauté sur les individus ne laissent plus de liberté aux musulmans. Les musulmans auraient-ils perdu tout bon sens en se laissant prendre aux pièges du halal à toutes les sauces ?

Carole

Roubaix, « ville la plus pauvre de France » au passé ouvrier, est une ville où les parcours atypiques sont la norme. Il y a toujours une histoire qui se raconte sur l'un ou l'autre. Les vies sont scrutées et les trajectoires souvent malheureuses.

Chez les Vanderbruk, qui comme leur nom l'indique étaient des gens du cru, il y avait la petite Carole. Elle était comme beaucoup de jeunes adolescentes : elle voulait aller vite, griller les étapes et devenir coûte que coûte une femme et une mère. La famille Vanderbruk était une famille roubaisienne populaire. Le père, un maçon de quarante-deux ans qui en paraissait quinze de plus. La mère, elle, avait quitté le foyer pour refaire sa vie avec un autre, dans la même rue, juste à quelques mètres. Carole vivait chez son père déprimé et passait voir sa mère pour le déjeuner, parfois, après l'école. Elle était devenue l'aînée de cette famille décomposée et ne se sentait d'aucune famille, ni de celle de son père ni de celle de sa mère. C'est sûr, elle en était convaincue, elle était de passage parmi ces gens.

Dans la rue de Carole, les petites maisons ouvrières en briques rouges sont sombres comme les mines de leurs habitants. C'est une rue qui fiche le cafard. La vie semble être une longue suite de peines, une vie que l'on hérite et que l'on subit. Les projets n'existent pas, l'espoir est un vague souvenir, le chômage une habitude dont on ne peut se défaire.

Dans cette rue, il y avait du soleil dans une seule maison, celle du 17. C'était la famille d'Ahmed. Une mère et un père présents, aimants et autoritaires. Des frères et des sœurs unis. Des repas en famille, des fêtes, et le voyage en été pour aller voir la famille au bled. Carole rêvait d'appartenir à cette famille. La famille d'Ahmed, c'était une famille « logique, pour toujours », disait-elle. Carole considérait les familles maghrébines comme des modèles de solidité et de solidarité. Elle avait commencé par sympathiser avec la maman d'Ahmed, puis le week-end elle portait des djellabas que les femmes orientales aiment porter pour travailler à la maison et se détendre. Elle avait également de nouveaux tics de langage : elle disait « wallah » à chaque phrase pour jurer. Ses changements avaient été remarqués et faisaient sourire. Elle était touchante… Carole, c'était un peu comme un brave chien qui errait seul et faisait tout pour attirer l'attention dans l'espoir qu'une personne accepte enfin de l'adopter…

Carole Vanderbruk voulait devenir arabe mais ces « wallah » et ces « sur le Coran de La Mecque » ne suffisaient pas. Elle ne voulait plus de ses boucles blondes, de ses grands yeux bleus, et de ses taches de rousseur. Carole ne voulait plus de ce physique trop « français », elle voulait être méditerranéenne… Alors elle commença par le maquillage, puis les UV pour se brunir, puis les colorations… Enfin elle imaginait que les garçons maghrébins aimaient les filles rondes aux formes généreuses… alors Carole entama un régime pour grossir des fesses et s'est fait une garde-robe pleine de pantalons et de petits hauts très moulants. Elle voulait plaire à ces garçons du soleil et elle était déterminée à tout faire pour y arriver. Avec ces premières transformations, Carole avait offert à ses parents un sujet commun d'inquiétude : leur fille. Ils s'inquiétaient enfin pour leur enfant, cette fille qu'ils n'avaient fait que croiser. Elle ne les avait jamais intéressés. Elle était une erreur de jeunesse pour sa mère, une contrainte pour son père. En se perdant, Carole allait peut-être trouver la famille dont elle avait toujours rêvé. Elle commençait par éveiller l'intérêt de ses parents. C'était déjà ça. Mais ce n'était que le début.

Quoi de plus borné qu'un adolescent en rupture ? Elle ne serait plus Carole. Elle voulait une vie « halal ». L'étape suivante c'était de devenir une vraie « muslim ». En quelques mois, Carole accéléra sa mutation. Elle lisait le Coran chaque jour et ne parlait que de voyage en Tunisie. Le Club Med ? Surtout pas ! Non, Dieu et le grand amour…

Ses fréquentations avaient changé et sa garde-robe aussi. Elle parlait de pudeur et de respect pour elle-même et son futur amour. Ses nouvelles amies avaient repéré la faille et leur amitié n'était pas désintéressée. Avec un mimétisme parfait, Carole avait appris par cœur quelques prières et connaissait parfaitement l'organisation de ces familles « où chacun était à sa place ». Elle parlait, s'habillait, riait et respirait comme ses nouvelles amies…

Les grandes vacances approchaient et Roubaix se vidait petit à petit… Seules les familles les plus pauvres resteraient là. Au mieux, ils verraient la mer une fois grâce à l'aide du Secours populaire ou d'associations. Pour certains, cela serait la première fois. Cet été Carole ne resterait pas avec les « Chabert » (familles très modestes et très populaires). Elle avait tout planifié, maintenant qu'elle était « arabe », elle aurait droit à ses vacances au bled... Comme si le fait d'être « arabe » donnait droit à des vacances ! Ce voyage en Tunisie intriguait autant qu'il inquiétait. Chez qui allait-elle vivre ? Comment pouvait-elle financer son voyage ? Combien de temps allait-elle y passer ? Quand allait-elle partir ? Personne ne parvenait à avoir l'information, même pas ses parents qui, las, avaient décidé de l'ignorer.

Quand j'y repense, Carole, c'était notre Johnny Leclerc. Le personnage du film *Il était une fois dans l'Oued* de Djamel Bensalah. Johnny vit comme un musulman, porte la djellaba, fait le ramadan et se fait appeler Abdelbachir et... rêve de vivre en Algérie. Ce personnage attachant, non pollué par les islamistes qui rôdent aujourd'hui dans les villes les plus pauvres, était une « gentille » version du converti. Malheureusement aujourd'hui, les convertis sont bien plus extrémistes et décidés. Je ne compte plus le nombre de filles croisées en burqa avec d'immenses yeux bleus, comme ceux de Carole.

Carole partit discrètement pour Tunis fin juin. Après plusieurs mois de silence, elle est réapparue. Personne ne la reconnaissait, d'autant qu'elle portait désormais la burqa… Seuls ses grands yeux bleus et ses longs cils blonds la trahissaient.

Carole me raconta son voyage en Tunisie. Elle avait rencontré un garçon sur Internet, c'était le cousin de l'une de ses amies, il avait vingt et un ans, ils avaient longuement discuté sur Facebook. Elle était amoureuse, il l'avait demandée en mariage par téléphone. Elle avait accepté. Il avait exigé qu'elle soit une « bonne musulmane ». Elle était comblée, son rêve se réalisait… Enfin quelqu'un pour la « cadrer », et un modèle familial lisible. Elle avait porté la burqa dès son arrivée en Tunisie par respect pour son mari. Le mariage avait été célébré rapidement et elle était tombée enceinte. Apres quelques mois passés avec son mari en Tunisie, elle était rentrée en France pour préparer l'arrivée de celui-ci… Ses parents ne lui adressaient plus la parole, ni ses demi-frères et sœurs. Cela lui importait peu. Ce n'était pas différent avant, disait-elle.

Elle avait trouvé un groupe qui l'avait acceptée et avait su panser ses blessures. Ce groupe, c'était sa nouvelle prison. Il utilisait chaque verset du Coran comme un barreau pour mieux l'enfermer et l'asservir. Carole avait le profil type des convertis, elle n'était pas considérée, elle était mal dans sa peau, mal dans sa vie familiale et sans perspective professionnelle. Elle voulait trouver des solutions simples pour vivre sa vie.

Les islamistes sont experts en rhétorique, ils ont réponse à tout. Ils excellent dans l'art d'exposer leur point de vue de manière que leurs démonstrations apparaissent irréfutables. Les solutions sont simples : il faut écouter, ne pas remettre en question et dire que c'est « Dieu qui décide ». Imparable. Ils sont maîtres dans l'art de récupérer les âmes esseulées, les déçus, les écorchés vifs. Roubaix, comme tous les quartiers populaires, c'est le terrain de chasse idéal pour ces diables qui disent porter la parole de Dieu.

Carole s'est enfermée dans cette microsociété, elle s'est radicalisée, et désormais elle déteste la France qui rejette ses « frères et ses sœurs », ce « pays de racistes ». Elle suit assidûment les prêches et les discussions politiques de ses nouveaux amis. Elle est maintenant politisée, elle qui ne savait pas qui était de Gaulle, Hitler, ou ce qu'était la Shoah… Elle a des idées sur tout et n'accepte pas la contradiction, elle est devenue militante pour les droits des femmes musulmanes à porter le voile, pour ses frères de Palestine, contre l'islamophobie et les « riches qui profitent des pauvres ».

L'internationale des frustrées rassemble sans distinction de race, d'origine, de couleur, autour de l'islam radical, des personnes perdues en quête de sens ou d'identité. Deux qualités permettent de déplacer des montagnes et de se sortir de sa condition même lorsque l'État n'a plus grand-chose à offrir : la volonté et le courage... Mais ils ne sont pas équitablement partagés chez les hommes... Alors l'islam radical prospère avec la montée du chômage et le déclin de l'école dans les quartiers difficiles.

Les tenants d'un islam radical, proches des frères musulmans, sont les nouveaux dealers des quartiers. Ils guettent l'individu qui sombre, les peines, le mal-être et offrent des shoots d'espoir et de solidarité d'abord le temps d'un café, puis d'une prière hebdomadaire, et enfin chaque jour. Petit à petit, dose après dose, ils invitent des milliers de jeunes à se shooter au rejet de l'autre, du système, à la haine, au repli au sein d'une communauté impénétrable... même pour le musulman de base. Ils pillent l'islam et les musulmans et créent une armée d'islamistes écervelés dont le seul dénominateur commun est la haine et la frustration. Ces intégristes deviennent les ennemis de la France, leurs prisonniers les jeunes maghrébins en manque de repères, leurs futurs déportés les autres maghrébins, comme moi, qui auraient tenté par leur travail et leurs diplômes de s'intégrer à la France.

Même s'ils sont français, ces extrémistes n'ont pas de pays sinon une patrie virtuelle, celle des « Muslims »… Naturellement cette patrie virtuelle ne correspond à aucune réalité. C'est un vieux rêve hégémonique de création d'une ligue musulmane, allant du Maghreb à l'Iran, élaboré par la très puissante association des Frères musulmans et les pays du Golfe (Arabie Saoudite, Qatar) enrichis par la manne financière du pétrole. Ils rêvent de retrouver une zone d'influence et de diffuser leur modèle de société, la burqa faisant partie des symboles phares de cette reconquête culturelle et géographique. Pour cela, il faut ré-islamiser les pays musulmans, à commencer par l'Égypte, la Tunisie, l'Algérie, le Maroc devenus trop occidentalisés… Cette islamisation doit intervenir à tous les niveaux de la société afin d'imposer un nouveau mode de vie et faire reculer l'Occident des terres qu'ils considèrent comme appartenant à leur zone d'influence. Le triste spectacle du Printemps arabe, devenu un hiver islamiste en Égypte et en Tunisie, en est la parfaite illustration. Après des mois de lutte pour faire tomber les dictateurs Ben Ali et Moubarak et de nombreuses pertes humaines, ces révolutions ont été confisquées par les islamistes portés au pouvoir par des populations jusque-là délaissées, précaires et n'ayant aucune confiance en la classe politique. Grâce à la fortune des richissimes pays du Golfe, *via* de nombreuses associations caritatives et humanitaires, les islamistes gagnent le cœur de ces populations, puis leur vote. Du pain contre un vote. Cette guerre se fait également aujourd'hui par les images et les moyens de communication modernes, qu'ils utilisent avec beaucoup de talent, il faut le reconnaître. Ainsi, nombreuses sont les vedettes de la télévision égyptienne qui acceptent contre quelques millions de dollars de lâcher leur tenue affriolante pour porter la burqa et devenir à l'écran les porte-voix de l'islam le plus radical. Petit à petit le rayonnement culturel international de l'Égypte, jugé immoral par les islamistes, s'éteint et condamne à l'oubli l'héritage de prêtresse de la chanson orientale Oum Kalthoum ou de la très sensuelle danseuse du ventre Samia Gamal, proclamée par le roi Farouk « danseuse nationale d'Égypte »... Mais dans un sursaut démocratique, les Tunisiens et les Égyptiens, après avoir subi l'incompétence des islamistes au pouvoir, semblent les avoir rejetés. Espérons que cela dure.

L'objectif des princes bedonnants est de retrouver la puissance et la force conquérante du temps des califats. Le plus triste pour les jeunes fous de Dieu, comme Carole, c'est qu'ils n'ont même pas assez d'instruction pour connaître ce projet de ligue musulmane internationale.

Garder les « sœurs » dans le droit chemin

Ils les appellent « les sœurs ». « Ils », ce sont les fous de Dieu des quartiers, qui se comportent telle une police religieuse et morale. Pour eux, « les sœurs » sont toutes les filles d'origine maghrébine. Elles doivent rester dans « le droit chemin », c'est-à-dire celui qu'ils ont décidé pour elles. Celui dans lequel « la sœur » n'est pas maîtresse de son destin car elle est une femme, une éternelle mineure. D'ailleurs, « la sœur » a toujours besoin d'un homme de la famille (même mineur !) pour se déplacer, pour réfléchir et décider. Le droit chemin, c'est une prison dont les murs sont la tradition, les coutumes, la religion, le machisme. C'est la négation du libre arbitre des femmes.

Je suis une montagnarde et à la montagne il n'y a pas de chemin droit. Je n'aime pas les lignes droites, les autoroutes, ça m'ennuie. Alors le droit chemin, ce ne sera pas pour moi. Je construirai mon droit chemin mais je ne prendrai jamais celui que l'on choisira à ma place.

Pour garder les filles dans le droit chemin, comme les moutons dans l'enclos, ils ont une méthode simple, exercer une pression et un contrôle continu. Attention, il ne faut pas de « brebis égarées » ou pire de « colla-beurs ». Rien de pire en effet pour eux qu'une jeune femme d'origine maghrébine qui entend vivre sa vie... et cela au sein de la République ! Le seul horizon d'une « sœur » doit être « sa communauté ».

Dans les quartiers communautaristes, une des conséquences inattendues de l'enfermement des filles est qu'elles réussissent mieux que les garçons à l'école. Alors que ceux-ci baissent les bras, les filles s'accrochent et poursuivent à l'université. Un écart « culturel » se crée alors entre filles et garçons. Dès lors, la crainte de voir les filles échapper à la communauté s'installe et il leur est « vivement » recommandé de marquer leur fidélité à la communauté en portant le voile à l'université, en s'engageant dans des associations communautaires et culturelles. Elles ont le droit d'étudier mais en marquant clairement leur différence par un signe ostentatoire d'appartenance religieuse.

Le voile à l'université est une hérésie qui va à l'encontre même de ce qu'est la vocation de l'université et des sciences. Le voile crée une distance avec les autres élèves. Il rappelle que vous appartenez à une communauté religieuse avant d'appartenir à la communauté du savoir. Je déplore que l'idée du retour du voile à l'école ait été relayée lors de la publication par le Premier ministre Ayrault du rapport (encore un) sur l'intégration. L'école doit rester un sanctuaire et aucune dérogation à la neutralité religieuse ne doit être tolérée. La circulaire Chatel doit également être maintenue, car elle protège les enfants des messages religieux durant leur temps scolaire. Les accompagnants doivent, à mon sens, se soumettre à l'exigence de neutralité religieuse car c'est dans le cadre d'un temps scolaire, de l'école publique, qu'ils offrent leurs services.

Plus tard, dans l'enseignement supérieur, il faut également rappeler cette exigence de neutralité religieuse et de laïcité. Je suis favorable à l'interdiction du voile et de tout signe religieux à l'université. Concernant le voile et la burqa, qui sont de loin les signes les plus ostentatoires, je considère que l'argument qui consiste à dire que nous ne pouvons pas l'interdire à l'université, car il s'agit de majeurs et donc d'adultes, ne tient pas la route. Il n'est pas recevable dans la mesure où au lycée une grande partie des élèves sont également majeurs et le voile y est pourtant interdit ! D'autres justifient la non-interdiction du voile dans les universités par le fait que c'est le lieu de naissance d'une conscience politique et d'engagements syndicaux passionnés, et qu'à ce titre il faut veiller à préserver cette liberté de réunion et d'expression. Bien sûr, mais l'engagement politique et le syndicalisme étudiants n'ont pas grand-chose en commun avec le repli communautaire et identitaire que suppose le port du voile ou de la burqa. Ils n'impliquent pas non plus des complications pour les enseignants durant les cours, des difficultés dans les relations avec les autres élèves durant les travaux de groupes, et un barrage à l'intégration de l'étudiante enrubannée. Doit-on abandonner ces filles, sous prétexte qu'elles sont majeures à l'université et les laisser entre les mains des islamistes ? Doit-on les laisser creuser leur tombe sociale et économique ? Cela me semble inimaginable et inconcevable.

Dans l'état actuel, ne pas interdire le voile à l'université, c'est laisser de milliers de jeunes femmes se condamner volontairement au chômage, car rares sont les entreprises qui acceptent des salariées voilées (surtout chez les cadres). À diplôme équivalent, entre une diplômée voilée et une non voilée, un employeur choisira toujours celle qui sera non voilée, pour préserver la cohésion et la paix sociale au sein de ses équipes. La vie en entreprise a ses règles tacites, elle exige entre autres que l'on observe une forme de neutralité que ce soit dans l'expression de ses idées politiques ou de ses convictions religieuses.

J'ai trouvé très courageuse et juste l'initiative de « Charte de la laïcité en entreprise » prise par le président directeur général de PAPREC, Jean-Luc Petithuguenin, entreprise de traitement de déchets en Seine-Saint-Denis. Ce département du nord de Paris connaît une recrudescence du fait religieux liée à la diversité de sa population. Cette entreprise emploie près de quatre mille personnes représentant quasiment toutes les confessions. À ce titre, elle devait se protéger des difficultés que pouvaient engendrer l'absence de neutralité, pouvant créer des situations de tensions remettant en cause la sérénité sur le lieu de travail et les performances. Cette charte est un premier pas. Elle a été validée par l'ensemble des employés qui ont voulu garantir sur leur lieu de travail la neutralité religieuse et éviter les pressions communautaristes. C'est un premier pas auquel il faut donner une assise législative solide car cette charte n'a aucune valeur juridique et peut-être attaquable : l'entreprise n'est pas dépositaire d'une mission de service public ni financée par l'État. Du coup, elle n'entre pas dans le même cas que la crèche Baby-Loup.

Il devient impératif d'élargir le respect de neutralité religieuse aux entreprises privées afin de protéger les employés et les entreprises. Je soutiens Paprec et je souhaiterais que cette Charte de la laïcité en entreprise fasse des émules dans d'autres entreprises. Cela serait, par ailleurs, la fin d'une belle hypocrisie que je décrivais un peu plus haut, car très rares sont les entreprises qui acceptent les signes ostentatoires d'appartenance à une religion. Ainsi, ne pas interdire à l'université le port du voile, et tout autre signe, c'est laisser croire que cela ne constituera pas un frein pour s'intégrer dans le marché du travail. Les employeurs ne prendront pas de risque et préféreront éviter les difficultés. Par ailleurs, à coup sûr, les nouveaux défenseurs de « la communauté musulmane » ne manqueront pas de soulever l'incohérence qu'il existe entre la possibilité de se présenter en cours, à l'université, avec un voile ou une burqa et l'impossibilité d'être un agent de la fonction publique portant le voile ou la burqa… Ils soulèveront cette incohérence devant les tribunaux et les médias.

Alors, ne faisons plus les choses à moitié, soyons cohérents, ne soyons pas complexés par nos principes : imposons définitivement la neutralité religieuse.

Certaines filles musulmanes s'élèvent culturellement mais sans avoir le courage de refuser le repli communautaire. Elles veulent rester fidèles au groupe pour ne pas passer pour une fille qui a la « grosse tête », qui se prend pour « une Française »… Il ne faut surtout pas qu'elles passent pour des « colla-beurs ». Dans la « communauté », la honte et le déshonneur viennent toujours des filles. Les pires sont celles qui aspirent à être simplement des Françaises « normales »… non voilées, indépendantes, insensibles aux pressions communautaristes. Ces filles sont considérées comme les plaies de la communauté. Elles sont regardées comme de la vermine qu'il faut isoler pour éviter qu'elles ne contaminent les autres.

Traîtresse, vendue, beurette de service, collabeur. Pour eux, la « colla-beur » est un être ignoble qui aurait commis l'irréparable en ne cédant pas au repli communautaire, en refusant la prédominance des lois de Dieu sur celles de la République, en rejetant le déterminisme social et sexuel. La colla-beur subit le racisme idéologique et la stigmatisation des beurs-communautaristes, car elle refuse l'omerta. Elle n'est plus victime du racisme de la figure du « Blanc dominateur » mais bien du racisme de ses semblables… Souvent on rappelle à la colla-beur qu'elle se trompe, qu'elle ne sera jamais acceptée par la France et qu'elle est utilisée comme faire-valoir exotique afin de faire oublier les millions d'autres qui sont victimes du racisme. La pression, les menaces, la culpabilisation sont encore et toujours les armes des communautaristes. Libres, laïques face aux obscurantistes, aux réactionnaires, aux apeurés, les femmes colla-beurs sont les nouvelles hussardes de la République, de l'émancipation et de l'universalisme… De là à dire « Colla-beur et fière de l'être ! » il n'y a qu'un pas… que je franchis avec enthousiasme. Allons enfants !...

« Un pays de salauds ? »

Aujourd'hui le mérite républicain, dans certaines cités, a cédé le pas au mérite communautaire. Le mérite communautaire consiste à rester dans sa communauté et surtout à ne pas collaborer avec les institutions françaises. Dans une certaine mesure, c'est un acte de résistance politique. Pour nos parents la question était « Qu'est-ce que l'on peut faire pour la France ? », « Que doit-on changer dans nos modes de vie pour nous intégrer ? », « Comment peut-on devenir des Français comme les autres ? » ; pour les intégristes des cités et leurs myriades de petites frappes la question est « Qu'est-ce que l'on peut faire contre la France ? », « Comment peut-on se distinguer ? », « Comment affirmer davantage nos différences ? ». Alors bien sûr on peut pleurer en disant que l'on n'a pas su récupérer ces enfants de la République et que l'école ne joue plus son rôle d'ascenseur social. Mais il faut arrêter de se mentir, pour ne pas dire arrêter les imbécilités, arrêter de manier ces idéologies culpabilisatrices. Tout le monde ne peut pas être polytechnicien, banquier, médecin, avocat, notaire, ministre... Les Français dits « de souche » autant que les autres !

Il y aura toujours de bons élèves et d'autres mauvais. L'égalité a ses limites dans la nature. La République offre généreusement les moyens de la réussite à tous ses enfants. L'école est gratuite et les aides existent. Celui qui travaille parvient tôt ou tard à s'en sortir. Le parcours vers la réussite sera toujours long et pénible pour l'enfant d'ouvrier mais il demeure possible, encore aujourd'hui. Les exemples de personnes connues ou anonymes issues de milieux défavorisés qui ont su s'en extraire par leur travail et leur talent sont nombreux. En politique, d'Anne Hidalgo, élue maire de Paris, à Manuel Valls, Premier ministre, ce sont « tous des enfants d'immigrés », comme dit le slogan des manifestations contre le FN. Ils sont nés à l'étranger et naturalisés. D'autres encore démontrent que l'intégration et le mérite républicain fonctionnent : Aquilino Morelle, Philippe Seguin, Jeannette Bougrab, Rachida Dati, Fadela Amara, ou Henri Guaino. Dans le monde des affaires, les réussites sont également présentes : Mercedes Erra, fille d'immigrés espagnols, arrivée en France à l'âge de six ans, Hapsatou Sy, fille d'immigrés sénégalais. Dans les médias, on ne compte plus le nombre de journalistes, de chanteurs, d'acteurs d'origine étrangère plébiscités par le public. Il suffit d'allumer son poste de télévision pour le mesurer. La personnalité préférée des Français a longtemps été Zinedine Zidane. Depuis quelques années, c'est au tour d'Omar Sy d'occuper le haut du classement. Parmi les personnalités politiques préférées des français, Rama Yade et Najat Vallaud-Belkacem figurent toujours au sommet du classement. Alors comment peut-on encore oser dire que la France n'intègre pas et que les Français sont racistes ?

La « réussite » ce n'est pas un droit, ce n'est pas plus un devoir. C'est un choix de vie qui impose du travail, des sacrifices, du temps et une dose de chance. L'égalité de droit existe mais l'égalité réelle n'existe pas, c'est une utopie. Évidemment que nous ne commençons pas tous la course de la vie avec les mêmes bagages et au même point de départ. Le chemin à parcourir sera plus long et sinueux pour l'enfant des milieux populaires, et encore plus pour celui qui cumule une origine sociale défavorisée et des origines étrangères. Sa détermination doit être plus grande. Mais la « réussite » n'est pas une fin en soi et ne pas « réussir », est-ce une raison pour en arriver à insulter la France et la République ? Est-ce une raison pour imposer des modes culturels sur la voie publique et mépriser chaque jour dans les rues le principe d'égalité entre les hommes et les femmes avec le port du voile, du niqab ou de la burqa ?…

Pour de nombreux jeunes, le raisonnement est le suivant, « La France n'a pas fait de moi un médecin, c'est un pays de salauds, je les emmerde ». Mais peu de gens osent leur répondre que de très nombreux Maghrébins sont devenus médecins, avocats et que toutes les conditions sont offertes par la France pour y arriver et que ce n'est peut-être pas du devoir de la France d'amener tous ces enfants, français de souche ou issus de l'immigration, parmi la bourgeoisie.

Di-ver-si-té : « Vous êtes toutes des Rachida ! »

J'ai été diplômée au moment où tout le monde appelait de ses vœux la di-ver-si-té. Nous étions juste après l'élection de Nicolas Sarkozy, la diversité était à la mode. Rachida Dati et Fadela Amara étaient devenues les incarnations du rêve français, de la di-ver-si-té qui réussit. Cosette pouvait devenir ministre. L'histoire était bel et bien racontée : ouverture, travail, mérite et di-ver-si-té… « Ensemble tout devient possible ! »

Les associations en faveur de « l'égalité des chances » se sont multipliées et leurs actions hyper médiatisées aussi. C'était le temps des « Direction diversité ». Chaque cadre se devait d'avoir à son actif un engagement en faveur de la di-ver-si-té.

Des cadres engagés, dans une entreprise engagée. C'était la naissance du RSE – Responsabilité sociétale des entreprises. L'intérêt général pénétrait enfin le grand capital...

Il fallait de la diversité dans les médias, dans les écoles, dans les entreprises, en politique. Les politiques en faveur de la di-ver-si-té et de « la discrimination positive » devaient rattraper plusieurs décennies de recul en matière d'égalité des chances et de lutte contre les discriminations. Je n'ai jamais été favorable à la « discrimination positive », à mon sens ce dispositif ne fait que décrédibiliser et stigmatiser au sein des entreprises ceux qui peuvent en bénéficier. Il y aurait ceux recrutés pour leurs compétences et ceux recrutés pour le quota black, beur... Il faut de la couleur pour la jolie photo d'entreprise ! Les communicants veulent que l'image de leur entreprise soit cool, ouverte sur la société et la di-ver-si-té. Finalement, c'est comme les femmes en politique qui trop souvent encore servent à éviter les importantes pénalités financières aux partis et que l'on présente pour faire « le quota » sans intention de faire d'elles des élues.

Aussi de nombreux dispositifs ont été mis en place et subventionnés par de l'argent public. Alors que je cherchais un emploi, j'ai décidé de participer à une des réunions organisées par l'association « Talents des cités » soutenue par le MEDEF. L'objectif était d'aider les jeunes diplômés issus de la di-ver-si-té à intégrer une entreprise grâce à une marraine ou un parrain de l'entreprise. Après tout, si cela pouvait m'aider à intégrer plus rapidement une grande entreprise et si pour une fois appartenir à la di-ver-si-té pouvait m'être utile ! J'ai donc rencontré cette marraine, cadre supérieure dans une grande entreprise française. Pour notre premier rendez-vous, elle m'a raconté sa vie, ses deux enfants, son appartement dans le XVIIe arrondissement de Paris « côté Villiers c'est plus sûr et sympa », son chien et sa carrière qui s'est faite tout naturellement car « nous avions plus de chance à l'époque, je vous plains les jeunes ».

Elle a regardé mon CV, m'a félicitée pour toutes mes expériences dans de belles entreprises et mes diplômes. Cependant, une chose l'intriguait…

— Puis-je vous poser une question sans que cela vous paraisse indiscret ?

— Je vous en prie.

— Vous indiquez Neuilly-sur-Seine sur votre CV, c'est bien votre adresse ou celle d'une amie ?

— C'est mon adresse. Pourquoi ?

— Ah oui ? Oh pour rien, c'est juste que… c'est… disons surprenant… euh je veux dire rare… enfin ce n'est pas grave.

Je n'ai pas voulu durant l'entretien poursuivre sur le sujet et j'ai amené la conversation vers ce qui me semblait plus constructif. J'avais compris ce que son silence disait : comment une beurette peut-elle vivre à Neuilly-sur-Seine ? Les préjugés ont la vie dure même chez les catégories dites supérieures. À ce moment, je me suis dit : comment peut-on blâmer un ouvrier pour son racisme ordinaire alors que les plus éduqués se laissent également prendre par les préjugés et la bêtise ?

Le sujet de l'adresse étant écarté, je me croyais sortie d'affaire. Mais la voici repartie dans sa logorrhée narcissique et bien-pensante… Elle se voyait en « Mère Teresa » qui venait en aide aux pauvres « jeunes » du « 9-3 » qui ont « tellement de difficultés ». Elle vivait sa mission comme une bonne action. Elle me faisait peur et cet entretien devenait décidément très long… L'apogée de sa bêtise et de sa condescendance fut atteinte lorsqu'en me regardant dans les yeux elle me dit :

— Je te comprends, tu sais. Tu es ambitieuse, tu es une sorte de « Rachida ».

— Rachida ? Rachida qui ?

— Eh bien Rachida Dati ! Vous êtes comme ça les beurettes, vous avez la « rage » comme vous dites dans le 9-3 (petit rire suffisant). C'est normal tu sais, je connais une famille comme la tienne. C'est fou ! Ils vivent dans 50 mètres carré avec huit enfants et ils s'en sortent ! Tu vas y arriver !

J'étais consternée, de quoi me parlait-elle ? Si une personne dans cette pièce avait la rage c'était sans aucun doute elle ! Mais avec quelle substance se shootait-elle ? !

Je suis restée calme. À ce niveau de bêtise il n'est plus utile de s'énerver. Je lui ai dit que prétendre à un poste de cadre lorsqu'on est diplômée d'une école de commerce et de l'université Dauphine, ce n'était pas de l'ambition, c'était nor-mal. Que la valeur des diplômes ne varie pas en fonction des origines supposées du candidat. Qu'elle ne connaissait rien de ma famille, et afin qu'elle évite les caricatures et les préjugés lors de ses prochains entretiens « di-ver-si-té », je lui ai rappelé quelques éléments de bon sens : toutes les personnes issues des « minorités visibles » ne vivent pas dans des cités, ne sont pas des quotas, et peuvent payer un loyer… et cela sans être dealer !… et qu'enfin concernant Mme la ministre Rachida Dati, elle avait un nom comme tous les autres membres du gouvernement, c'était une femme méritante…

Mais que toutes les filles maghrébines n'étaient pas des « Rachida ». Cet entretien n'a évidemment rien donné.

Après cette expérience déstabilisante pour la jeune diplômée que j'étais, quelques « amis » m'ont convaincue de demander un entretien à une personne de la « communauté » qui avait un poste de très haut niveau dans un grand groupe. Cette personnalité aimait rappeler lors de chacune de ses interventions médiatiques qu'il était au service des jeunes et qu'il recevait chaque semaine pour cela. Naïvement, je me suis dit, après mon expérience avec « Madame toutes des Rachida », que cette personne me comprendrait mieux. L'e-mail était envoyé, la réponse m'est rapidement revenue, un rendez-vous était fixé.

J'avais préparé cet entretien comme un entretien d'embauche. J'avais repéré les offres d'emplois de l'entreprise qui correspondaient à mon profil et préparé mon CV et mes lettres de motivation. Je connaissais cette entreprise par cœur, j'étais comme un boxeur avant d'entrer sur le ring. Enthousiaste, décidée, et entraînée, je voulais le job. Il était le recruteur, je devais le convaincre. Je lui tendis la main pour une poignée de mains ferme et décidée. Mais il s'approcha directement pour me faire la bise « pas de ça avec moi, chez nous, tu sais bien, on se fait la bise »… « Chez nous » ? « La bise » ?… Quelque chose me dit que ça ne va pas vraiment se dérouler comme je l'imaginais.

Je m'installai dans son bureau et le remerciai de me recevoir. Il m'interrogea sur mon parcours, ma formation, mes objectifs. Je répondis. Soudain, il me fixa, se mit à me poser des questions sur mes relations avec mon père, ma famille. Je le voyais venir. Agacée et déçue je répondais du tac au tac : « Écoutez, j'ai d'excellentes relations avec toute ma famille, nous sommes très proches. Je suis très proche de mon père, je viens de l'avoir au téléphone. En fait, je ne suis ni en rupture familiale ni à la recherche d'un père. Tout va bien. Je cherche juste un travail. » Il n'en revenait pas. Il me dit que j'étais « très intelligente et coriace ». Toutefois, il me prédisait des difficultés relationnelles au sein de sa structure car « il vous manque l'intelligence relationnelle, une forme de souplesse, d'ouverture ». Il poursuivit en me tutoyant : « Tu te prends trop la tête, détends-toi, il faut être plus souple… » Et il posa sa main sur la mienne. Je m'empressai de la retirer pour reprendre mon stylo. Il se mit à me parler en arabe en prenant une voix douce… avec un sourire qui en disait long sur ses projets… Je ne comprends pas l'arabe mais je comprends quand un homme attend certaines choses. Je n'en revenais pas !

Cet homme qui avait l'âge de mon père, qui portait autour de son cou un Coran et qui « voulait aider les jeunes de la di-ver-si-té » était en train de me faire des avances. Une forme de naïveté ou d'angélisme m'avait empêchée de croire que cette situation pouvait être possible de la part d'un prétendu croyant. Mais j'avais sous-estimé à quel point lorsque tu es « beurette », ils te considèrent comme leur propriété. Ils n'hésitent pas à jouer de leur position pour faire du chantage en laissant imaginer qu'un emploi est possible contre quelques faveurs. Ils aiment rappeler qu'ils sont croyants et pratiquants, gage, selon eux, de leur respectabilité. Le message est : « Je crois en Dieu comme toi, donc tu peux me faire confiance, on est entre nous. » Ils aiment également mettre en garde contre les hommes qui ne sont pas de la communauté et qui penseront forcément à « te sauter car tu es une beurette ». Mais lui, à quoi pensait-il lorsqu'il a tenté de me caresser la main lors de cet entretien ? Sûrement voulait-il devenir mon « ami » ou comme disent les plus manipulateurs « mon grand frère » ou « comme un père ». Peut-être se voyait-il en « mentor », en « pygmalion »…

Lassée par ces entretiens, j'ai fait le grand saut dans le monde professionnel en postulant de manière traditionnelle. D'entretien en entretien, après quelques longs mois de recherche, j'ai fini par obtenir un emploi dans une institution publique de la Défense. La République me tendait la main et j'étais heureuse de la servir.

La Maghreb connexion

La France est le pays des associations. Cela la rassure et contribue à donner d'elle une image de pays à la pointe de la liberté d'expression. Quand on veut faire de la politique en France et que l'on appartient à une minorité (ce phénomène s'est renforcé sous Nicolas Sarkozy), il faut monter une association et crier à l'injustice, à la fracture sociale et à la mort de l'école républicaine... Certains petits malins des « minorités hyper visibles » se sont engouffrés par pur opportunisme dans l'univers associatif et soi-disant humaniste.

Le leitmotiv est simple : l'ascenseur social est cassé, regroupons-nous en minorités pour sortir notre épingle du jeu dans cette République hostile. Faisons du bruit dans la presse, pleurons sur nous-mêmes et il y aura toujours un journaliste, un intellectuel, un politique ou un grand patron d'entreprise qui portera en lui les gènes de la culpabilité post-coloniale.

C'est ainsi que vous obtenez des structures communautaristes comme le club XXIe siècle, Talents des cités, Averroès… Le problème n'est pas de se regrouper par affinités ou autour de valeurs communes. Le problème, c'est de se servir de la République pour créer en son sein des communautés et des ségrégations scandaleuses. Certaines anciennes ministres vont même jusqu'à parler de la « Maghreb connexion », sorte de haute société maghrébine parisienne. Elles en connaissent d'ailleurs un rayon sur la question puisqu'elles s'en sont abondamment servi avant de devenir les grandes républicaines médiatiques que l'on connaît.

Je trouve qu'il y a un côté misérable à ce type de réseaux communautaristes car finalement, derrière les talons aiguilles Louboutin et les costumes Smalto, on retrouve le pitoyable complexe du colonisé… Une forme de misérabilisme écœurant qui consiste à dire : « C'est nous les nègres de la République, il faut nous aider !… » Quel manque d'amour-propre et de dignité. Mais en plus cela est faux, car l'intégration et l'ascenseur social français ne sont pas cassés. Et ils en sont la preuve vivante ! La République a la volonté de maintenir le mérite et l'égalité des chances mais pour cela il faut cesser d'instrumentaliser ces sujets. Il faut dire haut et fort qu'il n'y a pas de logiques discriminatoires institutionnalisées à l'école même s'il est vrai qu'il y a dans certains cas une forte reproduction sociale et que les enfants d'immigrés sont parfois écartés des filières porteuses du système éducatif. Mais je ne crois pas que ces phénomènes soient uniquement dus au prétendu racisme des « Français de souche ».

Tous les métiers et notamment ceux de la fonction publique sont accessibles par le biais du concours républicain, à qui il faut rendre grâce. Si, comme le constatent certains, les filières dites prestigieuses de la République sont réservées aux enfants d'enseignants, pourquoi les enfants issus des minorités ne cherchent-ils pas à devenir enseignants pour casser cette spirale ? Une des réponses possibles est que, pour les minorités de deuxième et troisième génération (contrairement à leurs parents), être enseignant ou fonctionnaire est une honte ou un parcours professionnel minable qu'on ridiculisera dans la communauté, tant les salaires sont bas. Chez les enfants d'immigrés – il existe quand même des exceptions –, l'argent est la valeur sacrée. À lui tout seul, il symbolise la réussite. Malheureusement, penser de la sorte en France et dans de nombreuses démocraties occidentales, c'est ne pas comprendre le fonctionnement structurel d'une société judéo-chrétienne. Depuis des millénaires ces sociétés ont vu en l'argent un piège et un poison social qu'elles n'ont eu de cesse de déconnecter du pouvoir politique et des institutions qui stabilisent la société.

Autrement dit, l'argent intéresse tous les Français mais il n'est pas le pivot de l'organisation sociale française. Tant qu'ils n'auront pas compris cela, les enfants d'immigrés seront toujours exclus des structures de décisions de la France.

Le Maghreb Connexion, c'est un microcosme particulier où se mêlent cadres supérieurs, quelques élus locaux, et surtout beaucoup de parvenus. Depuis l'avènement de la di-ver-si-té comme remède à tous les maux de notre société, ils se vivent en « talents », en « pépites » auxquels la nation fera appel… au moins pour un poste de ministre !… « Au nom de la di-ver-si-té »… Ambition, opportunisme… Peu de place pour les valeurs et les convictions.

Le modèle communautariste est un racisme institutionnalisé

Je suis rentrée d'une année d'études en Écosse où j'ai obtenu un Bachelor en économie, convaincue de la justesse et de la générosité de notre modèle français. L'exception française, ce n'est pas que dans les arts et le cinéma qu'elle s'exprime, c'est aussi et avant tout un esprit, un esprit républicain dont l'un des piliers est la solidarité. Elle s'exprime, entre autres, par la générosité de son système éducatif, l'école pour tous, de la maternelle à l'université. Le système n'est pas parfait mais il demeure à mes yeux le plus juste, le plus équitable et le plus efficace. Une inscription à l'université ne coûte au maximum qu'une centaine d'euros pour les enfants aux parents ayant des revenus, et moins de dix euros pour ceux aux revenus modestes. Les bourses sociales du CROUS (à peu près quatre cent cinquante euros par mois pour les plus modestes), l'aide au logement pour les étudiants sont autant d'éléments de solidarité qui offrent à tous ceux qui le désirent véritablement la possibilité d'étudier dans de bonnes conditions sans ségrégation sociale.

Ce n'est pas le cas au Royaume-Uni, la scolarité à l'université coûte en moyenne vingt mille livres pour une année ! Heureusement, en tant que Française, venant dans le cadre d'un double diplôme, je n'avais pas à m'acquitter de cette somme. Aux États-Unis, c'est bien pire. Merci chère France ! Lors des inscriptions, la première chose qui m'a frappée était la précision avec laquelle les groupes ethniques sont répertoriés sur la fiche d'inscription : caucasien, arabe, perse, indienne, noir-africaine, noir-carribéen, latino... Cette question m'avait paru extrêmement inappropriée et intime. Pourquoi devais-je indiquer mes origines ethniques lors de mon inscription à l'université ? Ce fut l'un des premiers chocs « culturels » de cette année d'échange. D'ailleurs, je n'avais pas la possibilité d'indiquer que j'étais berbère, alors comment me déterminer ? J'ai refusé de cocher une de ces cases et j'ai indiqué « World

Citizen ». Je compris très rapidement l'un des objectifs de cette question. L'origine ethnique des étudiants permettait à l'administration d'attribuer les logements en partie en fonction de l'origine ethnique des élèves. D'après les services de la scolarité c'était dans l'intérêt des étudiants, cela leur assurait une meilleure intégration... Entre eux, ils seraient moins bousculés dans leurs habitudes. En d'autres mots, chacun chez soi. C'est ainsi que selon l'origine d'un élève l'on pouvait savoir dans quelle résidence et quel quartier il vivait. Dans ma résidence, j'étais la seule d'origine non européenne. La scolarité est très chère, il existe peu d'aides et peu de bourses. L'allocation d'aide au logement des étudiants n'existait pas dans ce pays où les loyers battent des records au point de faire passer Paris pour une ville accessible... J'ai d'ailleurs été très surprise d'apprendre que la France proposait une aide au logement également pour les étudiants étrangers qui étaient de passage en France dans le cadre d'un échange Erasmus, d'un double diplôme ou d'un stage... ! La réciproque est-elle vraie pour les pays qui accueillent des étudiants français ? Évidemment non ! Nous, étudiants français, nous n'avions le droit à aucune aide de la part des pays où nous étions installés le temps de l'échange universitaire ou d'un stage.

La mixité sociale dans les universités anglo-saxonnes n'existe pas vraiment, et cela frappe immédiatement. Les enfants des classes populaires et des classes moyennes sont peu nombreux, à l'inverse de la France où toutes les catégories sociales sont encore représentées à l'université.

Aux États-Unis, pays des grandes et prestigieuses universités aux campus pharaoniques et leaders incontestés du top ten des meilleures universités du monde selon le classement de Shanghai, la ségrégation sociale est encore plus forte et il faut être rusé pour pouvoir s'en sortir. Une amie américaine m'avait expliqué comment elle avait réussi à intégrer une de ces prestigieuses universités américaines, avec des résultats moyens mais grâce à un petit mensonge... Non pas sur ses résultats scolaires mais sur ses origines ethniques. Elle avait indiqué dans son dossier d'inscription qu'elle était en partie d'origine asiatique et sud-américaine. Au nom des quotas et de la discrimination positive (ou de la condescendance positive), elle avait été acceptée... En effet, il apparaît pour certains que des origines non caucasiennes ou non « WASP » (White Anglo-Saxon Protestants pour les Américains) font de vous forcément une petite chose moins bien lotie intellectuellement et économiquement et pour cela il faut vous tendre la main... C'est leur forme de bonne action !

Ainsi, aux États-Unis, il faut être issu d'une famille riche, d'une minorité visible, très bon sportif ou s'endetter pour avoir le droit d'étudier... La prix d'une année de scolarité dans une petite université coûte en moyenne 25 000 dollars, le niveau d'endettement des étudiants américains a d'ailleurs dépassé les trois milliards de dollars ! Une autre amie américaine était endettée à la fin de ses études à hauteur de 245 000 dollars et sans emploi !

Voilà quelques réalités qu'il faut rappeler aux Français qui aiment s'autoflageller en permanence et tirer à boulets rouges sur le système universitaire français et son manque « d'égalité ». Je ne connais pas une personne, même issue des grandes et coûteuses écoles de commerce françaises qui présente un tel taux d'endettement à l'issue de ses études en France. Il est bon de le rappeler et de se montrer reconnaissant car pour ma part si j'avais vécu aux États-Unis je n'aurais jamais pu m'offrir d'études, et encore moins prétendre à une bourse au nom de mes grandes capacités sportives !

Le piège de la discrimination positive

En France, les passe-droits et les dispositifs d'« égalité des chances », inspirés des politiques américaines, poussent comme des champignons. Ici on veut remplacer le concours d'accès à la fonction publique par une simple étude de dossier, là on fait entrer dans des écoles prestigieuses sans concours, dans telle entreprise il faut passer par les canaux « diversité » pour y entrer…

Sciences Po Paris a été précurseur en offrant la possibilité d'accéder sans concours à cette école symbole de l'excellence à la française. Un accès au rabais mis en place par Richard Descoing… « au nom de l'égalité des chances ». Il s'agissait de permettre à des lycéens de zone d'éducation prioritaire, qui d'après certains enseignants n'ont parfois pas le niveau réel requis, pour intégrer les rangs de cette grande école à la scolarité exigeante. Ainsi, pas de concours à passer ; il faut d'abord être sélectionné par leur établissement (en contrat avec Sciences Po), puis passer un entretien oral où très souvent la bonne histoire et l'émotion prennent le dessus sur l'objectivité. Les membres du jury sont indulgents et souhaitent sauver quelques enfants qui n'ont pas eu de chance même si le niveau requis pour suivre dans de bonnes conditions la scolarité n'est pas atteint. Les plus filous et les mieux informés changent d'établissement en première afin d'en intégrer un qui soit partenaire de Sciences Po et bénéficier de ce dispositif qui les exonèrent de l'impitoyable concours d'entrée.

Autre conséquence, de ce dispositif « passe-droit », c'est la décrédibilisation des autres étudiants d'« apparence diversité » qui n'ont pas eu recours à ces dispositifs et qui doivent leur entrée dans une grande école et leurs diplômes à leur mérite, leur effort et leur travail. C'est ainsi que j'ai été interrogée à de très nombreuses reprises, lors d'entretiens, pour savoir si mon entrée à l'université Dauphine relevait d'un dispositif diversité ou si j'avais passé les épreuves de sélection comme tout le monde ! Après des années d'efforts, après avoir obtenu mon diplôme, je me retrouve suspectée par des recruteurs. Désormais, beaucoup pensent que les enfants « de la diversité » n'obtiennent leurs diplômes que par le biais de dispositifs spécifiques... Grâce à ces politiques surmédiatisées d'« égalité des chances », la majorité des étudiants d'apparence « diversité » ayant obtenu leurs diplômes par la voie classique se retrouvent à devoir prouver qu'ils ne sont pas des « quotas ». De cette manière, au nom d'une minorité de bénéficiaires, la « discrimination positive » jette un voile d'illégitimité sur la majorité des diplômés issus de l'immigration, faisant passer nos diplômes pour des diplômes de seconde zone.

L'égalité des chances est devenue le meilleur prétexte pour justifier des passe-droits qui nous mèneront à terme vers de grandes écoles... à deux vitesses. Pourquoi ne pas privilégier une voie plus juste qui permettrait aux élèves désireux d'intégrer ce type d'école de se mettre à niveau durant une année dans des classes préparatoires intensives afin de présenter les concours dans les meilleures conditions ? Qu'est-ce qui peut rendre plus fier que de réussir un concours dans les mêmes conditions que les autres ?

Ce n'est pas une dizaine d'élèves par promotion à Sciences Po Paris qui feront oublier la sous-représentation des enfants issus des milieux populaires dans les grandes écoles. Lorsque l'école fonctionnait encore en France, un enfant d'ouvrier doué pouvait prétendre à présenter ces concours et à les obtenir par la voie la plus classique et méritocratique qui soit. Aujourd'hui, le mérite, le travail, l'effort ne porteraient plus ? C'est le message qu'envoient ces différents dispositifs à la jeunesse issue des milieux défavorisés. Fini le mérite, la République n'en a plus les moyens… Désormais il faut de l'impalpable… De la chance pour être sélectionné dans l'un de ces dispositifs et faire partie de ceux qui seront sauvés… Message désespérant de la République à sa jeunesse en mal d'avenir, de reconnaissance et d'espoir. Cette jeunesse qui était pourtant « la priorité du quinquennat » de François Hollande… Place donc à la loterie de la chance. Prochain tirage en Septembre, avis aux amateurs !

L'internationale des frustrés

Il y a une génération de paranoïaques qui émerge et qui est de plus en plus visible. Ils se retrouvent autour d'un dénominateur commun : la frustration et la haine de la société. Lors d'une soirée chez un ami qui vit dans la banlieue « pavillonnaire » de Paris, j'étais effarée par ce que j'entendais. Je ne n'imaginais pas cela de la part de petits Français de la classe moyenne. Leurs discours étaient identiques à celui des enfants des banlieues défavorisées et des quartiers sensibles. Ils ne croyaient pas aux discours des politiques, rejetaient les médias et les journalistes et « la société en général ». Pour appuyer leur argumentation, ils m'avaient montré des vidéos sur YouTube qui démontraient que la société était « pourrie », que « le complot est international ». Ils avaient des centaines de milliers de vidéos. Elles ont le côté addictif qu'ont toutes les bonnes séries télévisées. J'ai compris qu'ils étaient très nombreux à se shooter aux vidéos conspirationnistes.

Un homme, Dieudonné, rassemble cette internationale de frustrés en leur servant la soupe de « l'antisystème », une espèce de melting-pot des idées les plus crasses en France. Une idée simple constitue le fil conducteur de la pensée des dieudonnistes : les enfants des cités dortoirs et des campagnes isolées, les Français de souche et les enfants de l'immigration sont les laissés-pour-compte de la République. En temps de crise, très nombreux sont ceux qui se retrouvent dans ce type de discours. Dieudonné fait son beurre sur la misère et la frustration d'une France mal dans sa peau, sans perspective d'avenir, et que les politiques n'entendent plus. Il fait sienne la dialectique marxiste des oppresseurs et des opprimés. Avec des idées fausses mais faciles à retenir, il fait prospérer sa petite affaire. Il recycle les vieilles recettes populistes de l'avant-guerre comme le complot « judéo-maçonnique » qui excite encore les esprits en mal de sensations.

Les médias le boycottent, le ministre de l'Intérieur lui interdit de se produire, mais, malheureusement, Internet permet de diffuser ces idées nauséabondes et lui offre un écho important.

Dans les cités, les sms alertant de la diffusion d'une nouvelle vidéo et les mailings avec les liens vers les vidéos à ne pas rater sont très suivis. Comme *Les Feux de l'amour* ou *Plus belle la vie*, il ne faut pas louper un épisode ! Dans le rôle de Sue Ellen : Alain Soral. Dans le rôle de JR : Dieudonné. Une vidéo ça peut rester anodin, mais, quand les propos tenus incitent à la haine, à l'antisémitisme, à la révolte, et cela sur fond de conflit israélo-palestinien, de culpabilisation post-coloniale, de crise de l'emploi et de paupérisation croissante de la jeunesse…, le mélange est explosif.

En regardant ces vidéos rapidement, le site me suggère d'en visionner d'autres, mais, dans celles-ci, il est question de « rejeter l'Occident », « de haine des Juifs », « haine des mécréants », d'incitation au « djihad ». Des vidéos accessibles à tous, sans contrôle, sans prévention. D'un clic, on passe de clip de haine en clip de haine, d'un clic, on la partage sur Facebook, sur Twitter, sur Skyblog. De clic en clic, des générations de paranoïaques se forment, encouragés par quelques « associatifs » au double discours, prêcheurs de haine dans les quartiers les plus sensibles… Alors lorsque le monstre Mohamed Merah est arrivé, malheureusement ce n'était pas vraiment une surprise. Facile à dire après coup ? C'est certain. Mais quand je traverse certains quartiers à Roubaix, à Paris, ou juste de l'autre côté du périphérique, pas besoin de dessin pour comprendre qu'il y a un malaise. Quelque chose s'est brisé entre la France et ces enfants-là... Le lien est rompu et ils veulent le faire payer... Mais silence... Il ne faut pas en parler... Ça risquerait de faire monter encore plus « la blonde »...

« L'islamophobie est le cheval de Troie des Salafistes », (Manuel Valls)

Durant l'été 2013, un rapport du HCI (Haut-Commissariat à l'intégration) sur le voile à l'université a fuité et a fait grand bruit... À l'époque Manuel Valls, ministre de l'Intérieur et des Cultes, appuyait fermement le principe de laïcité, et s'était prononcé contre le port du voile à l'université. Enfin, il y a eu l'interpellation d'une femme portant le voile intégral à Trappes... Et c'est là que la prise d'otage des musulmans de France est apparue au grand jour... Un nouveau « concept » s'est imposé fortement dans le paysage politique et médiatique français : l'islamophobie. Les journalistes n'ont que ce mot à la bouche. C'est court, ça sonne bien... tant pis pour le reste. On ne parle plus d'agressions racistes antimusulmans mais d'actes islamophobes... Pourtant, ce concept n'a pas le même sens et ne porte pas les mêmes significations.

L'origine du terme « islamophobie » est l'objet de nombreux débats dans lesquels il m'importe peu d'entrer. Ce qui est important, ce sont les objectifs que poursuivent ces instigateurs. La juxtaposition d'« islam » et de « phobie est une manière de mettre fin à tout débat.

Je me souviens d'avoir osé parler dans une tribune de la montée du communautarisme, de mon refus du voile dans la sphère publique et de ce que celui-ci impliquait sur la condition de la femme. J'ai été immédiatement qualifiée d'islamophobe et traînée dans la boue du racisme... ce qui était amusant compte tenu de mes origines. Ensuite, ceux qui avaient compris mes origines m'ont gratifiée des – maintenant systématiques – « colla-beur », « vendue », « traîtresse ».

L'« islamophobie » : quel meilleur argument pour couper court au débat et discréditer publiquement une personne ?

Mon ancienne meilleure amie a basculé du côté des radicaux et des pourfendeurs de la laïcité. Par curiosité, je l'ai accompagnée à des réunions afin de tenter de comprendre ses nouvelles idées et ses nouveaux amis. J'ai compris la haine qu'ils avaient de la laïcité. J'ai aussi compris l'impérieuse nécessité que j'avais à m'engager à mon échelle pour défendre et promouvoir celle-ci. Pour les tenants du communautarisme, la laïcité est un principe ayant pour vocation, à force de contrainte, d'éloigner les musulmans de leurs pratiques, de leurs origines. Ils considèrent la laïcité comme un frein à l'intégration des musulmans car elle entraverait l'accès à l'espace public, à l'emploi, à l'éducation des femmes musulmanes et aux services publics... En cela, la laïcité serait le cache-sexe de l'exclusion institutionnalisée des musulmans par la République. Ils caricaturent la laïcité auprès des publics les plus sensibles pour mieux la détruire. Le message à la jeunesse est : «Jeune musulman, la France ne t'aime pas car tu es musulman, la France refuse ta religion alors qu'elle accepte celle des autres. Rebelle-toi, rejoins-nous et faisons plier cette République islamophobe. »

Finalement, ce concept d'« islamophobie » est un moyen de pression sur l'État afin qu'il consente à des dérogations pour un groupe d'individus au prétexte de leur pratique de la religion. Lorsque je contestais ce concept, on me rétorquait systématiquement qu'il est aussi légitime que celui d'antisémitisme. Toutes leurs actions se font avec une obsédante comparaison à la « communauté juive de France ». De manière générale, il ne faut pas attendre bien longtemps pour voir poindre des tournures à caractère antisémite de la part de ces guides autoproclamés de la « communauté musulmane ». Israël, les dîners du CRIF, les hommes politiques juifs et les personnalités économiques ou médiatiques de confession juive les obsèdent. D'ailleurs, il suffit de connaître quelques succès pour qu'ils vous considèrent comme juif ou proche du « lobby juif ».

Automne 2013, en quelques semaines, je vois apparaître toutes sortes de « défenseurs » des musulmans dans les médias. « Défenseurs » ? Comme si les musulmans étaient une population en danger en France, une espèce à part qui doit se protéger seule car la police ne le ferait pas ? Des observatoires, des collectifs, des ligues... Ces nouveaux entrepreneurs politiques ont compris qu'un espace politique et médiatique se libérait... Tariq Ramadan a perdu de son écho : son public réclame des discours plus radicaux et politiquement conquérants. Les organisations se multiplient et se disputent le leadership. Laquelle réussira à monopoliser la représentation de la communauté musulmane ?

Elles sont dirigées par des personnes aux discours et à l'apparence lisse mais aux idées extrémistes. Après le Collectif contre l'islamophobie en France (CCIF), l'Observatoire de l'islamophobie, le dernier-né est la Ligue de défense judiciaire des musulmans, dite LDJM. Marwan Muhammad, porte-parole du CCIF, se dispute le temps de parole et le leadership avec le sulfureux Karim Achoui, fondateur de la LDJM, l'« avocat des voyous » ou l'« avocat du milieu ». Un avocat passé de l'autre côté... aujourd'hui radié du barreau.

Quand ces « collectifs » et « ligues » prennent la parole, c'est pour agresser et remettre en cause notre pacte républicain et notre société. Ce qu'ils recherchent, c'est d'abord d'installer l'idée auprès des musulmans qu'ils seraient oppressés en France comme les Noirs l'étaient aux États-Unis. Ainsi, l'objectif est d'utiliser les « musulmans » comme un « lobby » et d'établir un rapport de forces à l'occasion des échéances électorales et des discussions parlementaires.

Le fameux « vote musulman » sera échangé contre des places dans les conseils municipaux, généraux, régionaux, et des subventions... Je pensais que cela ne fonctionnerait jamais. Naïvement, je croyais que ces ennemis de la République seraient repoussés par les hommes politiques. Mais n'est pas Clemenceau qui veut. Lors des municipales de 2014, quelques villes de Seine-Saint-Denis ont démontré à quel point le ciblage par communauté a fonctionné pour faire basculer les majorités. Un élu du Centre a été jusqu'à faire élire une jeune femme voilée pour gagner le vote des musulmans les plus radicaux de la ville. Une partie de la classe politique est bien plus inquiète de sa réélection et se prête à toutes les contorsions pour y parvenir, quitte à faire entrer les ennemis de la République et de la laïcité dans la bergerie.

Alors que nos aînés ont arraché après des décennies de luttes l'instauration d'une société d'égalité, de liberté et de fraternité, en ayant retiré à l'Église toute possibilité d'ingérence dans les affaires de l'État, ces ambitieux « défenseurs des musulmans » rêvent d'instaurer une nouvelle forme de féodalité. À l'instar des États-Unis, ils œuvrent pour faire de la France un pays qui serait l'addition de groupes culturels, ethniques, religieux, qui ne se rencontrent jamais. Ils se rêvent en « Robin des Bois » de la communauté. Prendre aux riches pour donner aux pauvres ? Non, pas vraiment. Ils ne sont que des provocateurs en mal de reconnaissance politique et médiatique… Qu'importent les comportements irrespectueux et les agressions envers des agents de police, dépositaires de l'autorité de l'État, les opprimés sont toujours « les musulmans ». Voilà le dangereux discours que tiennent ces organisations, inscrivant chaque jour davantage l'idée que la France n'aime pas et oppresse les musulmans. Ce qui est évidemment faux. Ainsi, face aux millions de Français devant leur poste de télévision, ils distillent leur venin et prennent également en otage l'ensemble des musulmans de France qui se voient confondus avec ces islamistes. L'opération relève d'une stratégie d'isolement des musulmans de la communauté nationale, en provoquant des actes racistes qui corroborent leur théorie du rejet par la France des musulmans. Créer l'amalgame entre islamistes et musulmans leur permet d'agacer, de pousser aux actes racistes, aux discriminations des personnes « d'apparence musulmane » et d'accélérer la déchirure entre Français non musulmans et musulmans. Plus le racisme monte, plus les actes racistes se répandent, et plus leur parole s'installera dans les esprits et leur entreprise de destruction prendra de l'ampleur. Sans scrupule ils n'hésitent pas à porter avant tout préjudice aux musulmans de France et à l'image de l'islam. Qu'importe la liqueur pourvu qu'ils aient l'ivresse... Surtout l'ivresse du pouvoir et de l'argent. Pour cela, il leur faut parvenir à émietter la République, à diviser la France en communautés pour que chaque Français ne s'identifie qu'à « sa communauté », et que celle-ci soit dirigée par quelques seigneurs issus de sa « communauté ».

Inévitablement, les représentants de la souveraineté nationale s'adapteront en reléguant au rang de souvenirs les notions de communauté nationale, de vivre ensemble, de destin commun, et d'intérêt général... Les représentants politiques seraient ainsi les représentants de leur « communauté », exclusivement au service des intérêts spécifiques de celle-ci. Le député des Blancs œuvrera pour les Blancs, le député des Asiatiques pour les Asiatiques, le député des Arabes pour les Arabes et le député des Noirs pour les Noirs, et pour ceux issus de couple mixte, il faudra choisir votre camp ! D'avance, je prie les « communautés » que j'aurais oubliées de m'excuser, n'y voyez pas de racisme ou de phobie de ma part !

Respecter la police, c'est respecter la République

La grande médiatisation des cas de violences policières, de balles perdues et de débordements ont participé à créer l'image d'une police raciste et adepte du délit de faciès. Le lien entre la police et la population s'est rompu. La confiance n'est plus là. Dans les quartiers les plus difficiles, ils sont vus comme des intrus. Le schéma de pensée est le suivant : police = racistes = pourris.

Les événements de Trappes en 2013 et les autres cas d'agressions de policiers ont permis de mettre en lumière l'absence totale de respect pour la police et les conditions réelles de travail de ces agents de l'État. Dans certains quartiers, la police ne peut plus pénétrer, ils craignent d'être pris pour cible par des voyous lourdement équipés. On retrouve des kalachnikovs et autres armes de guerre ! Que peut faire la police face à des voyous surarmés ? Pas grand-chose. Et c'est aussi une des raisons pour lesquelles certains quartiers sont devenus petit à petit impénétrables. Les policiers craignent qu'un micro-ondes ne soit balancé d'un balcon et ne leur tombe sur la tête ! La police craint aussi ce phénomène d'attroupement. Il suffit de quelques secondes pour voir des dizaines et des dizaines d'autres jeunes venir renverser le rapport de forces et montrer que ce sont eux les maîtres des lieux. Finalement, la police française a peur. Elle craint de pénétrer les quartiers difficiles, les émeutes, les projectiles, les courses-poursuites en 306 Peugeot face à un bolide allemand…

Après l'intervention, ils doivent interroger et enquêter. Les suspects ne sont pas du genre à faire profil bas, au contraire, ils connaissent les ficelles de la procédure pénale. Face à des multirécidivistes, astucieux et narguant ouvertement l'agent, il est difficile de garder son sang-froid. Quelle personne ne perdrait pas ses moyens face à quelqu'un qui nie en bloc pendant des heures alors que les faits l'accablent. Quelle personne ne craquerait pas face à une autre qui agrémente ses mensonges d'insultes insoutenables : « Ta mère c'est une pute », « J'ai niqué ta femme, elle a joui », « Tu vas voir, fais attention à tes enfants je sais où tu habites ». Qui pourrait garder son sang-froid après une longue journée ? Même le Dalaï Lama céderait à la tentation ! Pourtant, ils y arrivent et je suis assez admirative.

La pénibilité de ce métier est grande. Il faut toujours faire plus, avec toujours moins. Équation impossible sous une pression constante. Je me souviens du jour où j'avais découvert qu'un gardien affecté à la BAC (Brigade anti-criminalité) ne gagnait que 1 400 euros… J'avais d'abord cru à une mauvaise plaisanterie. Ce n'était pas le cas. La France maltraite sa police. Les manifestations de policiers dénonçant leurs conditions de travail, parfois dans des locaux insalubres avec cafards et souris, en sous-effectif, avec des casques abîmés, sont justifiées. Je pense qu'il est important de leur accorder plus de moyens. Je comprends le stress que cela doit provoquer de vivre dans la même cité que ceux que l'on a arrêtés, quelques semaines ou mois plus tôt… Comment être serein dans ces conditions, comment ne pas craindre pour sa femme, ses enfants ? Devenir policier relève du sacerdoce. Comment font-ils pour trouver la motivation suffisante pour se lever le matin ? Dans ces conditions la camaraderie et la fraternité prennent un sens tout particulier.

Les burqas qui humilient les musulmans

Pour une fois, il fait beau et je n'ai qu'une envie après deux heures de shopping : m'installer à la terrasse d'un café, boire un verre et regarder les passants. Aucun problème *a priori* pour réaliser cette envie. Mais pas à Roubaix. Une règle tacite veut que les cafés soient réservés aux hommes, seules les femmes (maghrébines) de mauvaise vie s'y rendent. À Roubaix, les femmes s'arrêtent plutôt chez Quick qui se trouve non loin de là. Il est halal et familial…

Allez, de l'audace ! On ne se laisse pas faire et on s'impose ! J'en arrive à invoquer la méthode Coué pour prendre un verre… Les regards désapprobateurs, les messes basses et la mauvaise volonté de ce serveur ne m'empêcheront pas de savourer ce jus d'orange et ces rayons de soleil ! À Roubaix, les cafés, c'est comme au bled, ce n'est pas pour les femmes. Ici l'espace public est monopolisé par les hommes. D'ailleurs, en regardant autour de moi, je m'aperçois que je suis la seule femme... Dans ces moments-là, je mets mes lunettes de soleil, elles sont comme une protection, j'ai l'impression qu'elles disent « Ne pas déranger ». J'aime la brasserie L'Impératrice Eugénie, avec son style Art déco, en plein centre, elle est parfaitement située pour observer les passants qui viennent des deux centres commerciaux. Les deux stations du métro et du tramway déchargent toutes les cinq minutes une nouvelle fournée. Immédiatement, quelques chose me frappe et me dérange profondément : très rares sont les femmes qui ne portent pas une burqa, un voile ou un bandana qui cache les cheveux. C'est d'ailleurs dans cette station de métro, Euroteleport, qu'un policier a été agressé par une femme en burqa qu'il avait contrôlée. Dans cette ville, plaque tournante du trafic de drogue, la police ne peut plus passer son temps à contrôler et verbaliser les contrevenantes à la loi interdisant le port de la burqa dans l'espace public. Il y en a tellement à verbaliser que c'est la moitié des effectifs du commissariat qui devrait être mobilisée. Voilà comment cette loi devient, ici comme dans d'autres quartiers, inapplicable par le mécanisme du fait accompli et du rapport de forces…

Les garçons aussi ont changé, ils portent des barbes, parfois longues, parfois courtes, certains portent des djellabas. Quelle mouche a donc piqué ces Roubaisiens ? Heureusement ils ne sont pas tous comme ça. Ceux qui désapprouvent vivent leur vie, évitent les problèmes et rêvent de quitter cette ville où leurs semblables ont perdu tout bon sens. Lors des municipales de 2014 à Roubaix, le ras-le-bol de la population face à la montée du communautarisme et des signes religieux, tels que la burqa pour les femmes et le port de la djellaba-barbe pour les hommes, a donné naissance à une liste qui a publié un dossier dont l'une des propositions est intitulée « Vivre ensemble : parfois des dessins parlent mieux que des discours ». Elle présente une femme voilée accompagnée de son époux en qamis – longue tunique traditionnelle – face à un choix, symbolisé par des panneaux. D'un côté, « le communautarisme, l'obscurantisme », représentés par des femmes en burqa et accompagnés de la mention « Non ! ». De l'autre, « l'ouverture et l'apaisement », figurés par des femmes de diverses origines, avec une réponse aussi simple que la précédente : « Oui ! ». Le tract rappelle quand même que la première option est

« interdite par la loi » et s'interroge : « Pourquoi provoquer la République française ? Ce comportement nous fait mal ». La seconde solution est présentée sous un jour plus positif : « Soyez des femmes pleines de couleur. Nous avons besoin de tous les humanistes, et en particulier des femmes pour refuser de déshumaniser l'être humain, l'expression du visage permet de partager une émotion, un sourire. »

Oui, ces comportements font mal. Ils font honte. Ils stigmatisent les autres Maghrébins, les Arabes, les musulmans. Roubaix est le laboratoire de ce que le « laisser-aller, laisser-faire » peut provoquer. Par clientélisme électoraliste, certains élus n'ont eu de cesse de protéger la montée en puissance d'intégristes religieux dans de nombreux quartiers de la ville. Une manière de laisser la main à des associations religieuses qui leur sont dévouées et qu'ils tiennent par le versement de généreuses subventions en échange des votes de cette communauté. Ces élus de Roubaix préféraient-ils les extrémistes aux autres musulmans roubaisiens ulcérés par l'image que l'on renvoie de leur religion et des personnes issues de l'immigration nord-africaine ? Si la France a fait le choix d'être une République indivisible, laïque, démocratique et sociale, certains élus ont fait le choix d'une ville communautariste, confessionnelle et assistée. Ils ont encouragé et toléré sur le territoire roubaisien, comme nulle part ailleurs en France, des démarches et des comportements ostentatoires à caractère communautaire et religieux afin de préserver des intérêts politiques. Depuis leur accession à la mairie, Roubaix n'a cessé de perdre son âme, se transformant en ghetto communautariste, répondant plus aux exigences de sa frange extrémiste. Tariq Ramadan y tient des conférences, ses proches sont au conseil municipal par le jeu des alliances PS-Europe Écologie les Verts… Des zones entières de ce berceau du syndicalisme ouvrier se sont transformées en zones halal. Tout est fait pour plaire aux plus radicaux et aux plus caricaturaux des pratiquants contre « des voix »… Tant pis pour les autres musulmans « normaux », soucieux de vivre sans pression, comme tout autre citoyen français. Ils ne sont pas intéressants politiquement, pas organisés, alors l'équipe municipale préfère les oublier. D'ailleurs, ils quittent Roubaix dès que l'occasion se présente, agacés et lassés d'être confondus avec les fous de Dieu. C'est aussi pour ces raisons que nous avons quitté Roubaix pour le Sud-Ouest. Mes parents voulaient éviter que leurs enfants n'aient de mauvaises fréquentations, qu'ils ne dérivent sans qu'ils s'en rendent compte. Ils voulaient retirer « Roubaix » de notre adresse pour nous donner le plus de chances de réussir.

Oui, les Roubaisiens souffrent, stigmatisés, discriminés… Difficile en effet de trouver un emploi quand sur son CV il est indiqué « 59100 Roubaix ». Pourtant, cette ville est dotée d'un fort potentiel, d'une population jeune, de grandes écoles, de musées, d'une offre culturelle importante, d'une histoire… Paradoxe, elle est aussi le berceau de deux familles, parmi les plus grandes réussites françaises : les Mulliez, fondateurs du groupe Auchan (du nom du quartier des Hauts-Champs où le premier magasin du groupe fut ouvert) et les Arnault, première fortune de France, propriétaires du groupe LVMH que le monde entier nous envie. Aujourd'hui, cette politique de lâcheté et de clientélisme a installé Roubaix et les Roubaisiens dans la honte, car prononcez le nom de cette ville et vous lirez la gêne et la crainte dans le regard de votre interlocuteur. La ville est devenue le contre-exemple absolu pour tout responsable politique véritablement républicain. Le Front national se frotte les mains…

Non, la laïcité n'est pas un frein à l'intégration

Quand j'étais enfant, lors des voyages scolaires, avant de retrouver nos chambres, on nous racontait l'histoire de la « Dame blanche ». La Dame blanche, ce n'est pas l'histoire d'un dessert mais celle d'un fantôme qui hantait les enfants... Au lycée nous avions notre Dame, mais elle était en noir, gantée en noir et on ne voyait que ses yeux à travers les verres épais de ses lunettes. Elle était toujours là, plantée devant les grilles du lycée, de septembre à juin, du lundi au samedi, matin, midi et soir. Elle nous dévisageait, nous expliquait qu'il ne fallait pas s'habiller ainsi, qu'il ne fallait pas parler aux garçons, qu'il ne fallait pas manger à la cantine car ce n'était pas halal. Lorsque nous avions les cheveux mouillés, elle en déduisait que nous avions eu un cours de natation et nous expliquait qu'il fallait refuser ce cours car c'était interdit par notre religion... On l'écoutait poliment car elle était âgée, mais elle nous barbait, nous angoissait même ! Chaque jour, le jeu consistait à l'éviter. Parfois elle distribuait des tracts, pour boycotter un événement ou une marque de produits alimentaires qui contenaient du porc, ou qui seraient la propriété d'un Juif, un appel à la solidarité avec « les frères de Palestine ». Elle venait chercher sa fille. J'avais de la peine pour elle, c'était la honte d'avoir une mère aussi effrayante. Cette fille donnait l'impression d'être en liberté conditionnelle, toujours escortée de son gardien, sa mère, « la Dame en noir ». Le lycée, c'était sa seule respiration. Elle prenait toutes les options pour pouvoir finir le plus tard possible. C'était une excellente élève, mais « la Dame en noir » lui donnait jusqu'au bac. Après, la récréation serait terminée car « ça ne sert à rien de faire des études pour se marier ». J'aurais aimé que l'on débarque cette « Dame en noir », qu'on lui interdise de venir nous embêter, nous juger et nous culpabiliser à la sortie de l'école. Quand je la croisais, elle me foutait le cafard pour la journée. Si seulement quelqu'un avait réagi.

Alors en décembre 2013, quand le gouvernement Ayrault a proposé un changement de cap, en rendant publiques les conclusions d'un rapport qui proposait de mettre fin à la neutralité religieuse de l'État particulièrement dans les écoles... je suis restée pantoise. Le timing était également stupéfiant... seulement quelques jours après la journée de laïcité, le 9 décembre de chaque année, en référence à la loi de séparation des Églises et de l'État adoptée le même jour en 1905 ! En découvrant le rapport, j'allais de déconvenues en déconvenues. Par exemple, il préconisait la création :

— d'une autorité indépendante de lutte contre les discriminations sociales et ethno-raciales...

— d'une instance de pilotage des politiques publiques en matière d'intégration...

— d'un Institut national...

— d'un fonds d'investissement...

— d'un délit de harcèlement racial...

— d'une Cour des comptes de l'égalité...

C'est la machinerie administrative socialiste classique : créer des agences et des comités Théodule pour recaser les copains du milieu associatif, des syndicats et des partis... Pour le coût de ces structures, on repassera. Pourtant, je doute qu'il soit utile de rappeler aux rédacteurs « issus du terrain » et à M. Tuot, en charge du rapport, que le délit d'incitation à la haine raciale existe déjà dans le Code pénal… que le Défenseur des droits existe aussi… tout comme l'Acsé… Mais ce n'est pas le plus grave… car ce rapport « faire société commune » s'en prend frontalement à la question de la laïcité à l'école, et plus précisément à l'encadrement des sorties scolaires. Il prend l'exemple de la circulaire Chatel du 27 mars 2011, qui établit que les parents accompagnateurs sont soumis au principe de laïcité. Selon le rapport, « cette circulaire se fonde sur une approche de la laïcité [...] orthodoxe ou néorépublicaine attachée à rappeler de façon descendante et universelle ses principes », estiment les auteurs. Pour eux, ce texte est donc discriminatoire, car il est fondé sur un critère d'appartenance religieuse. Je me pince, je relis. C'est bien ça, nous y sommes. Les auteurs inversent la perspective et incriminent l'un de nos principes fondateurs. Pourtant, c'est précisément pour exclure le religieux de la sphère publique que la laïcité existe, et c'est aussi pour protéger le temps scolaire et les enfants que la circulaire Chatel avait été adoptée…

Plus pernicieux encore, les rédacteurs sous-entendent que ce qui fait notre socle de valeurs a été pré-établi « par la société majoritaire et ses élites ». Nous y voilà… Le moment « lutte des classes » arrive... Ils parlent de « société majoritaire » et supposent donc qu'il existe une société minoritaire et opprimée. Pour eux, c'est à cette « société majoritaire » qu'il faut demander un effort d'adaptation aux besoins de la société minoritaire. La France, sa République et ses principes devraient donc s'adapter à cette France « minoritaire », « discriminée » et pas complètement française... Ils renversent le paradigme des politiques d'intégration et le bon sens qui les constituaient. Ce bon sens veut que l'on s'adapte aux mœurs, aux coutumes, et pratiques du pays dans lequel on arrive et l'on vit. Les auteurs de ce rapport oublient la notion de devoir et d'identité culturelle propre à chaque pays. Ils recommandent à la France de s'oublier, de ne rien exiger, et de se transformer au gré des exigences d'une « société minoritaire ». Les rédacteurs de ce rapport se rapprochent ainsi de la dialectique des communautaristes et invitent à mettre en place une société communautarisée. Pour cela, ils veulent revoir l'ensemble des circulaires et textes de loi encadrant l'expression du fait religieux dans l'espace public... car ils « comportent des mesures discriminatoires, dont les effets induits sont des processus discriminatoires ». En termes plus clairs, pour ces « acteurs issus du terrain », la solution se trouve dans l'abrogation de la laïcité comme pilier de notre contrat social. Autrement dit, ce n'est pas la faute de ceux qui ne veulent pas respecter les lois, c'est la faute de la France qui ne veut pas changer ses lois. On y revient toujours. Les rédacteurs proposent aussi d'augmenter le nombre de cours d'arabe et de mandarin dans les écoles pour favoriser l'intégration. Et pourquoi ne pas proposer des horaires de piscine réservés aux femmes voilées dans les piscines de France en s'inspirant de Mme Aubry ? Avec ce rapport nous n'étions plus à une ineptie près !

Je me souviens qu'à l'école primaire on nous proposait de prendre des cours d'arabe. « Nous », c'était uniquement les enfants maghrébins. Le professeur était marocain et parlait le français avec un accent à couper au couteau. Les cours se sont rapidement transformés en cours de morale religieuse et les méthodes d'enseignement étaient importées des années 1950... J'ai rapidement arrêté, sa morale me fatiguait et de toute façon j'étais mauvaise. Seuls les élèves qui parlaient déjà l'arabe chez eux étaient bons... Ils n'apprenaient rien, ils vivaient sur leurs acquis. Mais bon... c'était déjà à l'époque une façon de nous rapprocher de « nos origines et notre culture »...

Les difficultés de notre modèle d'intégration ne sont pas liées à la laïcité comme le laissent entendre les rédacteurs du rapport. Au contraire, la laïcité favorise une intégration rapide et un épanouissement dans le respect de chacun et de la France. Il faut arrêter de se mentir et surtout de cacher nos échecs derrière un principe fondateur de notre République qu'il serait de bon ton de vilipender. L'intégration de certaines personnes en France peut poser problème. C'est une réalité. Mais les racines de ce problème ne sont pas à chercher du côté de la pertinence ou non de la laïcité. Les racines du mal se trouvent davantage du côté du laxisme de nos institutions et du jeu pervers d'une partie du monde associatif, dont ces « rédacteurs issus du terrain ». Pendant trop longtemps, nous avons laissé des critiques incessantes à l'égard de notre culture et de la société française. Les responsables de la fameuse « intégration à la carte », ou bien encore de l'« ascenseur social cassé » et maintenant de la « laïcité inclusive » sont ceux qui, depuis des décennies, fondent leur approche du sujet de l'immigration-intégration sur la mise en cause de la société d'accueil, qui serait une société fermée et raciste. Ces derniers portent une part de responsabilité dans le désastre de l'intégration-assimilation à la française.

D'ailleurs, quand le Qatar lance sa campagne « One of Us » qui impose aux touristes des tenues strictes, afin de « préserver la culture, les valeurs et les traditions » de leur pays, cela ne dérange personne… et surtout pas les associatifs « issus du terrain ». Mais lorsque la France souhaite interdire la burqa et imposer la neutralité religieuse dans l'espace public, composante de son identité culturelle, les pourfendeurs de la République se précipitent pour dénoncer une stigmatisation, de la discrimination et toutes autres formes d'inepties.

La laïcité est l'un des principes républicains les plus importants. C'est une digue… mais qui risque aujourd'hui de céder. Cessons cette fuite en avant et réaffirmons notre attachement à la France, à son identité héritée des Lumières et soyons à la hauteur des pères fondateurs de la République. Les enfants de France, « sans distinction de race, de couleur ou de religion », doivent être à l'initiative du sursaut républicain pour éviter l'inexorable chute de notre modèle de société.

La gauche qui trahit ses « p'tits beurs »

Une des soirées électorales les plus marquantes de ces dix dernières années restera certainement pour beaucoup de Français celle du premier tour de la présidentielle de 2002. Aujourd'hui cela se produit lors de chaque échéance électorale. Le Front national avance, il gagne aux municipales, il gagne aux européennes... Et les cris de vierges effarouchées de certains élus ne suffiront pas à masquer leur aveuglement, leur inaction et encore moins à regagner la considération des Français. Nous étions en famille pour cette soirée, j'avais seize ans. Nous étions tous réunis dans le salon devant notre télévision. Comme beaucoup d'autres familles françaises nous imaginions un duel Lionel

Jospin – Jacques Chirac au second tour. Lorsque le visage de Jean-Marie Le Pen est apparu, ce fut le choc. Après les cris d'effroi… un long et pesant silence avait envahi notre salon. Soudain, il y avait de l'inquiétude dans les yeux de mes parents. Il y avait aussi le sentiment que l'on nous avait trahis. La gauche nous avait trahis. Le Pen au second tour, c'est comme si l'on nous avait envoyé le message « vous n'êtes pas les bienvenus en France, repartez, on ne veut pas de vous ! ». C'était un moment douloureux, une trahison, de voir le visage du président du Front national s'afficher au côté de celui de Jacques Chirac. Je ne comprenais pas comment la gauche de Robert Badinter, Michel Rocard, de SOS Racisme, de la Marche des Beurs et des grandes soirées antiracistes avait laissé faire ça ? Lionel Jospin nous avait abandonnés. Après avoir humilié la France dans le monde entier en faisant d'un parti extrémiste le deuxième parti du pays des Lumières et des Droits de l'homme… quelques minutes plus tard, il annonçait lâchement qu'il quittait la vie politique française. Nouvelle trahison. Il s'en allait tranquillement pour prendre du repos dans sa propriété de l'île de Ré. Où était passé l'homme d'État digne et responsable ?

J'étais déçue, blasée. Je me suis investie dans mes études en regardant de loin le monde politique. À l'université, je me rendais à quelques réunions de syndicats étudiants de tous bords, la curiosité me guidait. J'y ai vu les mêmes comportements, peu de place pour la nuance, beaucoup de dogmatisme et une soif de pouvoir que j'ai encore du mal à comprendre. Comme beaucoup de Français, je me méfie des politiques. En 2007, lors de la présidentielle, je me suis reconnue dans les discours de Nicolas Sarkozy qui faisait référence aux valeurs liées au travail et au mérite. Il y avait quelque chose de séduisant dans sa manière de faire de la politique et de mettre les pieds dans le plat. Il osait et j'aimais cela. L'enfant d'immigré qu'il était, l'homme politique atypique était parvenu malgré les difficultés à devenir le candidat de sa famille politique. Forcément, cela a eu un écho chez moi… Il les rendait tous ringards les éléphants de droite. Il osait parler franchement, il osait casser les codes, il osait mettre des femmes à des postes-clés : garde des Sceaux, ministre de l'Intérieur, ministre de la Défense, ministre de l'Économie et des Finances. Il osait mettre des femmes issues de l'immigration, de quartiers populaires, à des portefeuilles importants… Bref, ce monsieur que l'on disait agité osait ce que personne n'avait osé avant lui. Grâce à son audace, on avançait et il serait impossible à ses successeurs de ne pas en faire autant en matière de parité et de diversité. En quelques semaines, il avait contredit toutes les idées reçues sur la droite et les minorités.

La gauche quant à elle s'était trouvée ringardisée et incapable de s'ouvrir à la société civile. Le Parti socialiste est apparu alors comme le parti qui cantonne ses « beurs » à l'associatif, aux marches de rue et aux mandats locaux sans perspective d'évolution. Maghrébin ou Noir en France, les politiques de gauche considèrent que votre vote leur est forcément acquis. Le vote des enfants d'immigrés, le vote des « minorités », des quartiers populaires est, pour les esprits de la rue Solferino, un vote toujours et exclusivement socialiste. En 2007, j'avais fait mon « coming-out » politique en « avouant » que j'avais voté Nicolas Sarkozy à mes amis et à ma famille... Comment pouvais-je voter à droite, moi la fille de l'immigration et de Roubaix ? Je trahissais la cause, j'allais du côté des « riches » et des « racistes de droite » ! Quand j'étais au lycée, les professeurs nous expliquaient que le vote de droite ne pouvait pas nous correspondre car nous n'étions pas des enfants de la bourgeoisie et que nous devions être fidèles à notre histoire d'enfants de villes populaires. Voter à droite c'est comme se tirer une balle dans le pied, c'est ouvrir la porte à « l'exploitation et aux racistes »... Je crois que ce qui a dérangé le plus dans mon vote pour Nicolas Sarkozy c'est l'affranchissement idéologique que celui-ci portait. J'affirmais ma liberté de pensée, j'affirmais ma volonté individuelle et mon refus du déterminisme. Depuis ce coming-out, on me regarde avec défiance, je suis un peu comme l'intruse. Mais, depuis l'élection de François Hollande, je reviens en grâce tant la déception qu'il suscite est grande ! Le problème des socialistes est qu'ils ont une telle condescendance vis-à-vis de ces populations immigrées qu'ils ne prennent même pas le temps de les écouter, de les considérer comme des citoyens à part entière, capables de faire le tri dans l'offre politique, comme tout autre citoyen... D'ailleurs, il n'y a pas de secret, la condescendance sociale des caciques du Parti socialiste s'exprime aussi au niveau des classes populaires qui ont majoritairement cessé de voter socialiste, préférant les partis extrémistes.

Et puis, comment pouvais-je voter à gauche quand je voyais, comme je l'ai expliqué plus tôt, que l'équipe municipale roubaisienne ouvrait grande la porte aux islamistes ?

Quand j'étais au lycée, le groupe Zebda connaissait un grand succès, et j'avais découvert que les jeunes issus de l'immigration nord-africaine étaient appelés les « beurs », avec sa déclinaison féminine les « beurettes ». Je trouvais cela humiliant. De fil en aiguille, en ouvrant mes livres, Internet, et en me rendant à la bibliothèque pour effectuer mes recherches... je remontai dans l'histoire de l'antiracisme et je découvris que le terme venait de cette marche entreprise au début des années 1980 par de jeunes personnes issues de l'immigration maghrébine pour protester contre la vague de crimes racistes, anti-Arabes, qui défrayait la chronique et terrorisait de nombreuses familles. Ces jeunes en marchant pacifiquement, de Marseille à Paris, voulaient réveiller les consciences et rappeler que la France était avant tout le pays de l'égalité et de la fraternité. Arrivés à Paris, ils ont été reçus à l'Élysée par François Mitterand, qui comprit l'intérêt politique de ce mouvement (et peut-être pour faire oublier son passé sulfureux, car il restera l'homme qui refusa l'armistice à des centaines de prisonniers algériens pendant la guerre d'Algérie, entre autres...), et organisa la récupération politique. La « Marche de l'égalité » a été rebaptisée « Marche des beurs »... La tradition des concerts « antiracistes » était née, et la gauche dès lors préemptait le vote de ces nouveaux Français et se considérait depuis comme l'éternelle propriétaire du vote des personnes issues de l'immigration.

Le glissement sémantique de « Marche de l'égalité » vers « Marche des beurs » était une manière insidieuse de réduire ce mouvement. Pire encore, à mon sens, « beurs » relève du champ lexical raciste… Grâce aux « amis socialistes », ce sobriquet a été popularisé, et collera à la peau des Maghrébins pendant encore de longues décennies. Par ce tour de force sémantique, la noble cause de « l'égalité » défendue par ces jeunes restera dans les annales comme une revendication quasi identitaire de jeunes de banlieue. Les Maghrébins n'auront plus le droit d'être appelés de manière digne, comme les Noirs, les Asiatiques, les Italiens, les Polonais, les Juifs… Pour les Maghrébins et grâce à « tonton », ils seront toujours des « p'tits beurs »…

La sémantique en dit long sur le mépris de classe et de race qu'il y avait dans ces esprits. Les Français d'origine maghrébine devenaient des « beurs », un mot ridicule, dérisoire, qui les condamnent à ne jamais plus être crédibles. L'égalité était-elle un mot trop noble et un concept trop inaccessible pour les Maghrébins de France qui souffraient des ratonnades et de l'insécurité ? Il fallait leur donner un petit nom amusant et M. Mitterand n'a pas perdu de temps en les appelant « beurs ».

Une chose m'a toujours frappée chez les socialistes, c'est leur capacité à faire émerger de fortes personnalités dans le domaine associatif telles que Malek Boutih ou Dominique Sopo… J'ai évidemment précisé « dans le domaine associatif » et cela a son importance car ils tiennent à ce qu'ils restent dans le domaine associatif… sans jamais les promouvoir. Je me souviens du parachutage de Malek Boutih en Charente-Maritime en 2007. Au début, je n'y croyais pas, comment peut-on encore envoyer des personnes sur des terres où ils n'ont aucun attachement ? Ce type de parachutage, c'est un envoi direct au casse-pipe ! Bien sûr, il a été très mal accueilli par les militants locaux et il a perdu. Les partis politiques regorgent de militants de talent et les places sont chères. Comme pour les grandes écoles, je ne suis pas non plus favorable à la discrimination « positive » ou au quota pour les minorités au sein de la vie politique. Il n'y a pas de minorité en France, il y a des citoyens et une communauté nationale. La discrimination positive, même si elle a permis à certaines femmes et hommes politiques d'émerger, parfois « pour la photo », a des conséquences lourdes. Le manque de crédibilité, la casquette d'alibi, la non-légitimité sont les prix à payer, et il faut de nombreuses années avant de les faire oublier.

Ironie de l'histoire, c'est grâce aux cinq années de sarkozysme que les socialistes se sont enfin éveillés à la réalité de la société française et à la véritable sociologie de leur parti. Malek Boutih a dû attendre 2012 pour être enfin élu député de l'Essonne dans le fief de son mentor Julien Dray, tombé en disgrâce. Le malheur des uns... Néanmoins, force est de constater que les législatives de 2012 ont été l'occasion d'un formidable renouvellement du côté socialiste, avec l'arrivée au Parlement de nombreux jeunes députés, de femmes et de personnes issues de milieux sociaux défavorisés. La diversité sociale et ethnique a pris sa place à gauche, permettant un rajeunissement, une féminisation, une ouverture à la société civile et une meilleure représentativité dans l'Hémicycle de l'ensemble du peuple. À droite, c'était le néant. La droite française, après Sarkozy, est retombée dans ses vieux travers, l'entre-soi, la reconduction de sortants élus depuis plusieurs décennies, les parachutages, et les rares femmes candidates ont été envoyées dans des circonscriptions perdues d'avance. Chez les élus, peu de jeunes, et encore moins de personnes de la société civile ou aux origines « diverses » (socialement ou éthiquement). Un grand pas en arrière, à contre-courant des aspirations des Français. L'élan de 2007 modernisant la droite est bien loin. Nous voici aujourd'hui dans un mépris toujours plus important des électeurs par une classe politique toujours plus endogame et consanguine… Ainsi, la place de la diversité à droite semble uniquement possible au gré de nominations, « du fait du prince ». L'étape vers l'accession à un mandat par la voie démocratique pour une personne issue d'une minorité visible à droite et au centre ne semble pas près d'être franchie. Le renouvèlement est une belle parole, une chimère… Un élément de langage comme l'est devenue la cause des femmes que l'on sort une fois par an, le 8 mars. Beaucoup de belles intentions, très peu de volonté… et encore moins de réalisations. À ce rythme, comment s'étonner de la montée des extrêmes et de l'abstention ? De quelle légitimité peut encore se prévaloir un édile élu avec plus de 60 % d'abstention ?

Les « Tony Montana », dealers du « vote musulman »

Lors des régionales de 2010, j'avais été approchée par un groupe qui souhaitait monter une liste indépendante en Île-de-France. Le rendez-vous était pris dans un café. Trois hommes face à moi pour tenter de me convaincre de prendre la tête de cette liste et d'en devenir la porte-parole. Les voilà usant de charme, de douceur et de promesses pour me convaincre. L'un campait le rôle du grand frère bienveillant, un autre celui du stratège visionnaire et le dernier du séducteur. Ils avaient « besoin d'une femme, plutôt jeune, plutôt jolie, qui serait capable de s'exprimer devant les journalistes ». Une sorte de mascotte « pour attirer la presse » et une « beurette comme toi, c'est ce qu'il nous faut ».

Leur liste défendait des idées d'extrême gauche et était communautariste dans tout ce qu'il y a de plus caricatural. Comment pouvaient-ils me proposer cela alors que j'étais à mille lieues de partager une seule de leurs idées ? Je suis pourtant une « traîtresse de droite », républicaine, féministe et laïque ! Qu'importe, cela ne les dérangeait pas car « ça s'arrange, tu n'auras qu'à répéter nos éléments de langage, on a besoin d'un visage, d'un sourire ». Il s'agissait pour eux de trouver une jeune femme qui leur permettrait de « gommer une image qui fait peur : banlieue et macho ». J'étais consternée par leurs méthodes et leur vision de la politique. Dans leur esprit, je ne pouvais pas refuser car ils avaient les moyens de me convaincre : ils allaient m'offrir une carrière… grâce aux votes de la « communauté » !

Les partis politiques sont très fermés, il faut de longues années pour en comprendre les codes, et enfin espérer pouvoir percer en obtenant son premier mandat. C'est une école de la patience et de la persévérance. S'engager en politique, c'est se lancer dans un marathon aux très nombreux obstacles. Il faut de la ténacité, du travail, de l'audace, du courage, voire de l'acharnement pour parvenir à concrétiser son engagement en mandat. Les places sont chères, monopolisées par un petit nombre... et, une fois élu, l'acteur politique n'a qu'une idée en tête : cumuler.

Je connais beaucoup de personnes « issues de la diversité » qui après avoir connu des mésaventures en politique ont décidé d'appliquer une autre stratégie. En effet, après s'être rapprochés d'hommes politiques et avoir réussi à s'imposer comme « le beur de l'équipe » (c'est eux qui se décrivent comme tel), certains ont déchanté au moment des investitures et de la constitution des listes. À l'époque où l'on parlait de di-ver-si-té, les politiques aimaient s'afficher avec leur Maghrébin, leur « Black » (et maintenant leur « féministe » ou leur « LGBT »), cela faisait partie du kit de communication de tous les candidats. Ainsi, nombreuses ont été les personnes issues de l'immigration qui se sont imaginé que leur salut en politique passerait par l'instrumentalisation de leurs origines. Ils seraient choisis, car ils « représentaient quelque chose » et que cela serait « un signal politique fort ». Grande ambition et sacré amour-propre !

Pour moi, ils sont des Tony Montana avant la chute, avides de pouvoir et d'argent. Ils vivent la politique comme *Scarface*. Alors, au nom de leur origine « diversité » et du prétendu poids politique de leur « communauté », ils doivent avoir droit à leur part du gâteau politique. Mais ces mégalomanes ont souvent déchanté... La stratégie du faire-valoir était vaine. C'est pour cela qu'ils ont décidé de réagir et d'aller plus loin encore dans le caricatural et dans le communautarisme. Ces entrepreneurs politiques se sont donc regroupés pour présenter des listes communautaires lors des régionales de 2010, des législatives de 2012 et des municipales de 2014. Ils entendaient s'imposer dans certaines villes à forte concentration musulmane et immigrée.

Les musulmans voteraient donc forcément pour des musulmans... Naïveté et condescendance. Je ne crois pas au « vote musulman », comme je ne crois pas au vote par communauté, quelle que soit la communauté.

Je vomis les communautarismes. La majorité des musulmans pouvant voter sont avant tout français et votent selon leurs convictions et leurs conditions pour le candidat qui leur semble le plus compétent. Ainsi, leur stratégie ne leur permit pas de mettre en place un rapport de forces suffisant pour négocier des « postes » et des places sur des listes lors des régionales. Ils ont toutefois connu quelques succès. Ils ont obtenu quelques

« postes » et « places » grâce à certains politiques prêts à toutes les contorsions idéologiques pour garder leur mandat. Le mandat d'abord, les principes après, bien après...

Beurette en politique : forcément prête à tout

Être une femme engagée n'est pas facile, mais être une femme d'origine maghrébine est encore plus difficile. C'est une double peine, et la garantie d'avoir le droit à toute la palette de la goujaterie. D'ailleurs, si vous avez le malheur d'être jeune et considérée comme jolie, vous serez plus souvent une proie qu'une future élue… Dans les représentations communément partagées par un grand nombre de décideurs politiques, une jeune fille issue de l'immigration en politique a forcément les dents qui rayent le parquet car elle veut s'extraire du prolétariat dont elle serait originaire… Elle rêverait de ce qui brille et cela la rendrait disponible et disposée à assouvir tous les fantasmes de ces messieurs en mal d'exotisme. Elle serait une sorte de Nana des temps modernes. Alors ils ne se privent pas pour proposer une « collaboration » au sein de leur cabinet ou de coécrire un livre. À ce stade, il faut un traducteur pour décoder leurs messages, jamais très clairs pour une novice. La collaboration s'entend uniquement au sens de votre entière disponibilité pour aider monsieur à se détendre en contrepartie du fameux « je ferai ta carrière » ! « Évidemment il y aura des déplacements et des nuits d'hôtel… On partira ensemble, c'est un peu l'aventure… il y a un côté romantique… ». Et enfin, la coécriture d'un livre s'entend elle par : « Passe dans ma maison de campagne ce week-end, on pourra travailler au calme, écrire un livre à deux c'est comme fusionner… »

Hors de question pour moi de verser dans la victimisation et une forme de naïve complainte. À vrai dire, je savais que ces comportements existaient et que j'en serais tôt ou tard l'objet. J'ai toujours pris avec beaucoup de distance et de fermeté ces propositions à peine sous-entendues. « Cher monsieur, savez-vous qu'il n'y a rien de mieux qu'un fantasme que l'on n'assouvit pas… restez-en au stade du fantasme, à votre âge, c'est plus raisonnable », « Des déplacements et des chambres d'hôtel, c'est intéressant, votre épouse en pense quoi ? », « Vous avez certainement une très jolie maison de campagne, mais je ne pourrai m'y rendre. Nous pouvons fusionner, comme vous dites, en échangeant par e-mail, enfin si votre proposition tient toujours... »

Le « fantasme de Shéhérazade » a de longs jours devant lui... L'Orientale fait rêver, c'est la promesse d'une danse du ventre endiablée, de la soumission naturelle à l'homme roi. « C'est culturel », disent-ils ! Les premières fois, comme dans une situation de harcèlement, on se retrouve assez déstabilisée, on ne comprend pas, c'est la phase de découverte et d'analyse. On se remet en question... Est-ce mon comportement qui laisserait penser que je suis sensible à ce type de proposition ? Est-ce ma tenue ? Très rapidement cette remise en question disparaît et des techniques d'évitement se mettent en place. En effet, pas besoin de phrases subtiles ou de tournures recherchées pour faire comprendre que ce sera une fin de non-recevoir, en tout cas en ce qui me concerne. Comme face à une situation de racisme, de discrimination, ou d'injustice, il faut faire abstraction, recadrer et avancer. Le temps et l'expérience apprennent à prendre de la distance et à gérer avec assurance.

On m'a souvent conseillé de « laisser espérer » plutôt que de couper court, car il est important de « ne pas se faire d'ennemis » et de « ne pas déplaire »… Mais, honnêtement, je me fiche de « ne pas déplaire ». C'est sûr, mon indépendance et ma franchise me desservent dans ce monde de courtisanes et de courtisans, très bien décrit dans *L'Esprit de cour* de Dominique de Villepin. Je suis considérée comme un « électron libre » et on ne comprend pas les électrons libres. Je ne sais ni flatter, ni encenser, ni aduler quand je n'y crois pas. Je traîne ce défaut depuis mon enfance au grand désespoir de ma mère.

Une « beurette électron libre », c'est incompatible !… Que n'ai-je pas entendu comme analyses psychologiques pour expliquer le comportement des « beurettes » en politique : « écorchée vive », « bien trop sensible », « avec des problèmes à régler », « tiraillée entre deux cultures », « susceptible » à « l'ambition dévorante » et voulant « aller trop vite »… Préjugés, stéréotypes racistes, condescendance sous couvert de bienveillance, nous y voilà !

J'aime les ambitieux, les rêveurs, les bâtisseurs, les grandes gueules et les fortes têtes. J'ai de l'ambition, et je souhaite toujours en avoir. L'ambition est un élan vital, celui qui en est dépourvu est dans une forme de léthargie et de longue agonie. Cette ambition revêt toujours une forme de noblesse et de légitimité lorsqu'il s'agit d'un homme. *A contrario*, qualifier une femme d'ambitieuse est toujours péjoratif. Dans la bouche de certain(e)s, c'est surtout une autre manière de dire « prête à tout ». L'inégalité homme-femme trouve aussi son origine dans la non-reconnaissance de l'ambition légitime des femmes.

Je suis toujours étonnée de l'hypocrisie qu'il y a autour de la question de l'ambition, surtout en politique. La politique, n'est-ce pas, par essence, le lieu de l'expression de toutes les ambitions, des plus nobles aux plus mesquines ? Abordez la question de l'ambition en politique, surtout avec une femme, et elle prendra très souvent des airs de vierges effarouchées, « oh non, pas du tout, je ne suis pas ambitieuse moi, c'est juste que je veux un mandat pour agir et construire… ». Seule l'ambition peut justifier un tel investissement. Assumons ! Oui les femmes sont ambitieuses. Nathalie Kosciusko-Morizet dans son interview dans le *Times* affirmait en politique : « Je suis une tueuse. » Cette déclaration a suscité des réactions offusquées chez beaucoup de personnes. Elle est pourtant d'une rare honnêteté et des plus féministes. Les femmes sont des hommes politiques comme les autres. Elles évincent, contrôlent, dirigent, coupent des têtes, et vont au combat.

Dire des femmes politiques ou des femmes en entreprise qu'elles sont plus sensibles, plus méticuleuses et à l'écoute est machiste et stupide. Il est caricatural de penser qu'il existe des qualités et des comportements typiquement féminins et d'autres exclusivement masculins. Les femmes qui disent faire de la politique « de manière féminine » font une erreur grotesque. Il n'y a pas de manière « féminine » de faire de la politique, car la politique impose ses règles que l'on soit une femme ou un homme. C'est un exercice et un milieu difficiles, sans concession, exigeants, et d'une grande violence. Alors il serait temps d'assumer mesdames car nous ne sommes ni plus vertueuses ni moins cyniques que les hommes politiques. Manœuvres, mensonges, promesses, amitiés de circonstance, les femmes comme les hommes politiques usent de méthodes similaires pour conquérir le pouvoir.

Aujourd'hui, je suis engagée au centre, au Parti radical (composante de l'UDI) de Jean-Louis Borloo et Laurent Hénart. J'ai choisi ce parti pour son histoire. Créé en 1901, il a porté de grandes réformes et des combats fondateurs : la loi sur le syndicalisme, la gratuité de l'enseignement secondaire, la séparation de l'Église et de l'État, l'abolition de l'esclavage... C'est le parti de Georges

Clemenceau, Pierre Waldeck-Rousseau, Édouard Herriot, Victor Schœlcher, Pierre Mendès-France, Jean Zay, Jean-Jacques Servan-Schreiber… J'ai choisi ce parti pour son intransigeance républicaine et sa recherche de justice. J'ai la conviction que la France a aujourd'hui besoin de plus d'équilibre et d'autorité républicaine. Les Français n'ont pas besoin d'une droite forte, ce qu'ils souhaitent c'est une République forte. Seule capable de garantir la justice sociale, la liberté, la fraternité. Seule capable de conduire la réaffirmation de la laïcité dans une France du XXIe siècle qui doit faire face à des revendications religieuses et identitaires toujours plus vives.

Féministe : la honte de la communauté

Le féminisme est souvent considéré comme un gros mot, plus encore dans les quartiers populaires. Les actions de Ni Putes Ni Soumises ont participé à faire de l'engagement féministe pour les filles d'origine maghrébine comme moi un vecteur d'exclusion vis-à-vis de la communauté. Pourtant ces actions étaient justes. NPNS a frappé là où ça fait mal, en tenant des discours parfois excessifs mais souvent très justes. Le courage de Fadela Amara a permis de briser des tabous et de faire émerger la question de la condition des femmes dans les quartiers sensibles. En mettant le doigt sur des sujets enfouis par pudeur et résignation, elle a révélé les tensions et les injustices qui se cachaient entre les filles et les garçons. Elle a permis de faire prendre conscience à nos dirigeants de la situation des filles de ces quartiers. Ce courage lui a valu beaucoup d'ennemis et en premier lieu au sein même de cette « communauté ». Malheureusement depuis le départ de Fadela Amara, cette association n'a plus aucun écho dans les quartiers, aucune crédibilité et est plongée dans une forme de léthargie militante et intellectuelle, vivant sur les vestiges de ses heures de gloire passées.

Lorsque j'ai décidé de fonder mon association Future, au Féminin, j'ai d'abord reçu des critiques et de nombreuses moqueries. Une beurette féministe c'est forcément « une Ni Pute Ni Soumise » qui souhaite « cracher sur les hommes de la communauté ». Je savais que tôt ou tard je serais qualifiée de traîtresse et de colla-beur lorsque les questions du machisme et du voile seraient abordées. Je suis une opposante au voile et il m'est impossible de nier le machisme institutionnalisé des sociétés maghrébines.

L'organisation sexiste des sociétés maghrébines a été importée en France. Dans de très nombreux quartiers l'organisation sociale est exactement celle qui existe au Maghreb avec une division des tâches sexuée, un espace public réservé aux hommes, et des femmes qui n'ont un statut que dès lors qu'elles sont mariées. Il y a un mot tabou, « liberté », surtout quand il s'agit des femmes. Une femme qui veut être libre, ça veut dire qu'elle souhaite vivre une vie sans morale, sans principe, sans respect d'elle-même. J'ai souvent entendu quand j'étais jeune que la liberté était dangereuse pour les femmes et que cela les rendait folles ! La liberté pour les femmes serait une invention de « l'Occident », car la liberté pour elles, c'est pour se dévergonder, humilier les familles, perdre sa dignité, aller vers la débauche, l'alcool, la cigarette, et les sorties tard le soir… Cette conception est aberrante, elle repose sur le postulat que la femme est influençable et pas suffisamment responsable pour vivre libre. Il existe une omerta très forte autour de cette réalité. Encore aujourd'hui on peut entendre de la part de jeunes hommes que les « femmes libres c'est des putes »… La pression sur les jeunes filles dès l'adolescence existe toujours, à la puberté fini les sorties, fini les promenades, fini la mixité, il faut se préserver désormais jusqu'au mariage et « être surveillée ». Parler de cette réalité, c'est trahir « la communauté » et s'isoler.

Dans ces sociétés, être féministe c'est indiquer son opposition à cet ordre. Être féministe, c'est aussi indiquer que l'on a décidé d'entrer en résistance. Le féminisme est un mouvement d'émancipation des femmes, de refus du patriarcat et de lutte pour la liberté. Quand on est féministe, on est contre le voile, celui-ci n'est rien d'autre que le marqueur de la soumission des femmes aux hommes. Le voile incarne la régression, la soumission et le rejet du progrès. Je ne me suis jamais reconnue dans les discours des associations féministes de gauche qui assument toutes les contradictions et toutes les lâchetés surtout lorsqu'il s'agit de la question du voile. Elles luttent contre la domination masculine mais refusent au nom du relativisme culturel de prendre position contre le voile, pourtant symbole absolu de la soumission des femmes aux hommes et de l'oppression machiste. Leurs approches relativistes et ethno-sociologiques sont de ridicules procédés qui masquent péniblement leur lâcheté. Ainsi, elles trahissent le féminisme républicain et creusent le nid du communautarisme, fatal pour l'égalité hommes-femmes.

Être féministe est encore au XXIe siècle un acte de résistance et de solidarité. Être féministe, maghrébine et républicaine, pour les communautaristes, c'est être en perdition, manipulée par la France, et collaboratrice du mouvement de stigmatisation des musulmans. Être féministe, maghrébine et laïque, pour les islamistes, c'est être une traîtresse, une colla-beur qu'il convient de faire taire, une mécréante, une infidèle.

La question du voile, du machisme et de la soumission des femmes cristallise toutes les tensions. À tel point que les femmes sont devenues les nouveaux objets des islamistes qui en font des militantes de leur propre soumission. Ils mettent en avant quelques jeunes filles voilées se revendiquant féministes, afin de démonter toutes les attaques contre le voile. Avec leurs nouvelles marionnettes voilées, ils souhaitent nous prouver que « leurs » femmes se voilent volontairement et qu'en plus elles sont féministes ! Ainsi, ils tentent de faire passer toute critique contre le voile pour une approche occidentaliste, impérialiste et donc raciste. S'aventurer sur le terrain du voile, de la place des femmes dans les sociétés musulmanes, est difficile car ces sujets sont au cœur de toutes les tensions. Immédiatement vous serez l'objet de pressions, de menaces, d'insultes. Elles viendront des hommes musulmans toujours ravis de dénigrer, de « mettre K.-O. » la colla-beur, cette ignorante qu'est la féministe d'origine maghrébine. Elles viendront aussi des femmes qui se considèrent comme les incarnations de la vertu et de la pureté divine. Souvent, le lynchage des colla-beurs est l'occasion pour elles de démontrer à quel point elles sont dans le droit chemin et combien elles sont dévouées à la communauté. Les filles voilées sont les idiotes utiles des islamistes communautaristes. Encore plus lorsqu'elles sont nées et vivent en France ! D'ailleurs, ayez un peu de cohérence mesdames les féministes en burqa, allez donc voir ailleurs si la France ne vous convient pas. Allez rejoindre ces eldorados de la liberté des femmes, du respect des droits de l'homme, ces grandes démocraties que sont les pays du Golfe que vous prenez sans cesse en exemple et dont vous vous acharnez à emprunter le mode de vie ! Soyez cohérentes et allez vivre la vie dont vous rêvez tant, l'Arabie Saoudite et le Qatar seront, compte tenu de leur légendaire générosité et clémence, ravis de vous accueillir ! Mais, au fait, savez-vous qu'une fois là-bas vous aurez certes le droit à votre burqa mais vous aurez besoin de votre « tuteur masculin » pour vous déplacer, de l'autorisation de votre mari pour ouvrir un compte bancaire et travailler ? Savez-vous que vous ne pourrez plus conduire de voiture ?

Mariage mixte : l'ultime provocation

Se marier, en voilà un engagement bien au-dessus de tous les autres. Une responsabilité nouvelle. Lorsque l'on annonce que l'on se marie, tout le monde y va de son avis. Il y a d'abord l'avis des amis blasés qui considèrent le mariage comme une institution désuète… mais qui ont la larme à l'œil le jour de la cérémonie. Il y a ceux et celles, lassés des histoires « meetic affinity » qui ne mènent à rien et qui voient le mariage comme un rêve inaccessible. Il y a aussi les romantiques multi-divorcés qui aiment tellement le mariage qu'ils ont décidé de le vivre uniquement en CDD.

Quand on est maghrébine, il faut se marier avec un Maghrébin. Les Kabyles, eux, souhaitent se limiter à la Kabylie pour préserver leur culture berbère. Les parents kabyles souhaitent ainsi pouvoir échanger avec la belle-famille et organiser le mariage selon les mêmes traditions.

Je me suis mariée au moment des débats sur le mariage pour tous. Durant cette période, tous les schémas et stéréotypes sur la famille ont été remis en question. Mes parents m'ont toujours appris que le mariage était quelque chose d'important, la première pierre d'une vie d'adulte.

Je me suis mariée dans une église parisienne. Je n'avais jamais imaginé me marier dans une église et d'ailleurs je n'avais jamais participé à un mariage religieux, c'était une grande première ! Je n'avais vu ce genre de scène que dans les films… et me voilà m'avançant vers l'autel avec ma robe blanche, mon long voile, au bras de mon père, sur un *Ave Maria* joué à l'orgue… J'avais quelques appréhensions sur la bénédiction religieuse, je craignais la réaction de ma famille. La cérémonie religieuse était complémentaire de la cérémonie civile, souvent trop rapide et pas assez solennelle. Je ne regrette pas d'avoir découvert ce type de mariage et de m'être mariée à l'église Saint-Augustin, dans l'esprit d'ouverture qu'incarne ce saint d'origine berbère… Augustin était le trait d'union entre nos deux cultures et nos deux confessions.

La mixité dans un mariage est difficile à accepter pour les familles, qu'importe leur origine. Une famille préférera toujours que son enfant épouse une personne de la même culture et de la même religion. Derrière ces préférences qui peuvent pour certaines être assimilées à une forme de racisme déguisé, ce sont en réalité plus des appréhensions, de l'ignorance et une maladroite bienveillance, qui bloquent ce type d'union mixte. Le mariage est une suite de compromis et il est évident qu'ils seront plus importants au sein d'un couple mixte.

Assumer un mariage avec un homme de culture, d'origine et de confession différentes… et assumer un mariage dans une église est une chose qui n'est pas aisée. Les filles sont la propriété de la communauté. Celles qui osent un mariage mixte trahissent. Elles trahiront « par le ventre » comme avait osé me dire un journaliste de la « communauté ». Trahir par le ventre. Quelle violence, quelle condamnation, quel rejet !

Les filles maghrébines culpabilisent d'aimer en dehors de la communauté. La pression des parents, la pression du groupe, la peur d'être rejetée, la peur de devoir rompre avec une partie de sa famille, de devoir rompre avec une partie de sa vie, les menaces les empêchent de vivre une histoire amoureuse « hors secteur ». Les plus courageuses décident de désobéir qu'importent les conséquences. Elles choisissent l'amour au risque de perdre leur famille et de se voir renier brutalement. Parfois, les familles reviennent après quelques mois, quelques années ou après le premier enfant. Parfois, elles sont rejetées à vie et n'ont même pas le droit de voir leurs parents pour le dernier au revoir…

D'autres n'ont pas la force ou les moyens de dire non, de choisir la rupture. Les mariages forcés existent toujours en France. Ces mariages se font contre le gré de la jeune fille, une fois arrivée au pays, « au bled », comme on dit… Ils se font aussi chez nous en France, lorsque après des mois de harcèlement familial, les jeunes filles cèdent et décident d'accepter un mariage imposé pour respirer enfin, peut-être…

Conclusion

Sortons des idées reçues. Se battre contre les communautarismes religieux et notamment le communautarisme musulman, au nom de la laïcité, ne fait pas le jeu du Front National, bien au contraire.

Nos décideurs politiques ont été lâches et depuis trente ans ils n'ont pas su défendre la laïcité. Ils ont cédé à la tentation communautaire pour ne pas être traités de raciste ou de xénophobe. Pour un homme politique, (il en existe heureusement des courageux), il vaut mieux ne pas parler de certains sujets comme la burqa, le djihad, ou les violences dans les banlieues. Cette lâcheté intellectuelle n'a qu'une fin électoraliste. Elle est peu glorieuse et stupide. L'idée est simple : je ne parle pas du communautarisme, je ne parle pas de la violence, de la ségrégation hommes-femmes dans les banlieues comme ça on me considère comme un humaniste, ouvert d'esprit et bien sous tout rapport... En politique, il est vrai qu'il vaut mieux être parfois le gentil mou que l'intrépide décomplexé. Selon eux, avoir un tel comportement, permet de ne pas être associé à l'image du Front National, et plus généralement de l'extrême droite. On leur prête alors une image d'homme politique généreux, ouvert et combattant les extrêmes... Mais malheureusement pour eux, cela est totalement contre-productif.

En rendant tabou le sujet de la montée du communautarisme musulman en France, ils ont fait le jeu du Front National et ont collaboré à son ascension vertigineuse dans l'opinion publique. En se voilant la face, ils ont pris leurs électeurs pour des moutons incapables d'exprimer leur mal-être quotidien. Or, c'est là qu'ils ont fait une immense erreur car le corps électoral français a toujours exprimé ses doutes et ses passions. En occultant les peurs de la société française, ils n'ont fait que les cristalliser. Ils ont progressivement rendu aux yeux de nombreux Français, le Front National, comme le seul parti qui « parle vrai » et qui les comprend.

Pourtant, il faut sortir d'une autre idée reçue : le Front National ne cherche pas à faire reculer le communautarisme et à défendre la laïcité. Au contraire, il s'en sert et le renforce. La montée du communautarisme musulman, les revendications religieuses, la remise en cause de l'égalité des sexes, les prières de rues, deviennent son fonds de commerce. Les intérêts du Front National et des communautaristes convergent.

Ses chances d'accéder au pouvoir passent par le morcèlement de la République en communautés. Si le rêve des communautaristes devient réalité, les modes de scrutin évolueront nécessairement vers plus de proportionnel et c'est ici que leurs intérêts se rejoignent… L'éclatement du pacte Républicain, les penseurs de la doctrine frontiste s'en moquent éperdument. Leurs électeurs sont instrumentalisés dans un contexte de crise économique. Le Front National et les mouvements communautaristes qui manient la rhétorique de l'islamophobie, sont des mouvements populistes, aux valeurs éloignées de celles de la République. D'ailleurs, de nombreux communautaristes musulmans flirtent allègrement avec les idées d'extrême droite et du Front National, parfois ils défilent même ensemble…

J'accuse donc nos élus d'avoir par couardise trahi notre histoire républicaine. Je leur reproche d'avoir laissé monter le Front National, d'en avoir fait le point central de tous les débats politiques. À cause d'eux, ce parti qui n'était qu'un groupuscule est devenu le point de convergence de tous les discours de la gauche républicaine comme de la droite républicaine. Enfin, j'accuse les partis politiques d'avoir fait de nous, « les Français issus de l'immigration », qui étions au départ une richesse pour la France, un jouet entre les mains du Front National. Nous voilà donc en 2014 dans une France où le tempo de la vie politique est mené par le Front National et le communautarisme religieux. Deux formes d'anti-républicanisme contre lesquels aucun politique ne semble vouloir s'attaquer frontalement.

La République est notre maison à tous, notre famille, fondée sur quatre piliers fondamentaux : la liberté, l'égalité, la solidarité fraternelle et la laïcité. Si l'on touche à l'un de ces piliers, la République devient bancale. Alors certains peuvent penser que le discours sur la République en danger est un discours alarmiste... Mais depuis de trop nombreuses années, les dirigeants politiques français ont fermé les yeux sur la montée du communautarisme et des intégrismes religieux, notamment l'intégrisme islamiste.

Ces communautarismes se sont imposés en France pour deux raisons essentielles : d'abord une forme de culpabilité postcoloniale et ensuite un calcul politique erroné de cantonnement du Front National. L'exemple le plus criant de cet abandon de la laïcité est la question du voile. Le voile dans notre espace public (et pour moi les universités et les entreprises en font partie) est une aberration à l'égard même de ce qu'est la définition de la laïcité par les pères fondateurs de la IIIe République. Enfin, c'est également une aberration au regard de l'égalité hommes-femmes qui est le seul réel marqueur politique de progrès d'une civilisation.

Se sentir Français et aimer cette identité, c'est simplement avoir le courage ou l'honnêteté de reconnaître ce pays dans son histoire et sa culture. Il n'y a pas de honte à revendiquer une identité française, de même qu'il n'y a pas d'incohérence à se sentir membre de celle-ci en étant « issue de l'immigration ». Il n'y a pas de gêne, ni de génotype du « Français de souche », en revanche il y a un ADN de la pensée politique et républicaine française.

La maison France s'oublie… Allons-nous dans une forme d'indifférence et d'individualisme abject la regarder se perdre ? Je ne saurai l'accepter. Je rêve du sursaut républicain qui pourra à nouveau nous rassembler et restaurer enfin notre vivre ensemble. Marianne revient.

REMERCIEMENTS

Je remercie chaleureusement Muriel Hees pour sa douceur et sa redoutable franchise et pour avoir su m'aiguiller tout au long de ce livre... Nos mois de travail et d'échange seront pour moi inoubliables et fondateurs.

Je remercie Karina Hocine pour son professionnalisme, son élégance et sa bienveillance.

Je remercie Isabelle et Laurent Laffont pour l'honneur qu'ils me font de me publier et de me compter parmi les auteurs de la maison J.-C. Lattès.

Jacques, mon mari, mon premier lecteur et mon premier critique. Sans toi je n'aurais eu ni le courage ni la confiance pour écrire.

Anne-Sophie Stefanini... Une belle découverte humaine et littéraire. Je n'oublie pas Philippe Dorey pour son soutien et son engagement. Je remercie aussi l'ensemble des services et des personnes qui ont contribué à ce livre.

Parfois, il suffit d'une rencontre, d'un regard... Le chemin aurait été beaucoup plus difficile sans elles... Une infinie reconnaissance à Caroline Laurent-Simon et Valérie Toranian.

Et ceux, indispensables, qui, parfois sans le savoir, ont à leur manière beaucoup apporté à ce premier livre : mes parents, mes professeurs, Nicole Ameline, Jean Barbizet, Didier Bariani, Yamina Benguigui, Jean-Louis Borloo, Jean-Marie Cavada, Isabelle Debré, Chantal Jouanno, Hervé Morin, Laurent Hénart, Jean-Christophe Lagarde, Dominique Paillé, le Professeur Charles Peretti, André Rossinot.

Table des matières

CET OUVRAGE A ÉTÉ COMPOSÉ
PAR PCA
POUR LE COMPTE DES ÉDITIONS J.-C. LATTÈS
17, RUE JACOB – 75006 PARIS
ET ACHEVÉ D'IMPRIMER EN FRANCE
PAR CPI BUSSIÈRE
À SAINT-AMAND-MONTROND (CHER)
EN JANVIER 2015

N° d'édition : 07. – N° d'impression : 2014321
Dépôt légal : janvier 2015